E1

Cahier d'entrainement

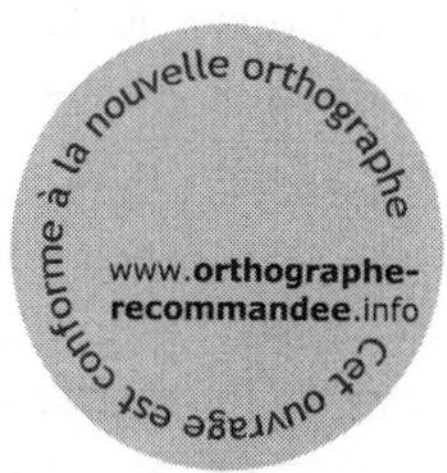

Collection dirigée par

Alain Bentolila
François Richaudeau

Martine Descouens
professeure des écoles

Paul-Luc Médard
directeur d'école

Jean Mesnager
professeur d'IUFM

Le papier de cet ouvrage est composé de fibres naturelles, renouvelables et fabriquées à partir de bois provenant de forêts gérées de manière responsable.

AVANT-PROPOS

La collection ***L'Atelier de lecture*** propose des outils pour le soutien, l'entrainement et le perfectionnement en lecture. Le ***cahier d'entrainement CE1*** permet de mettre en œuvre une véritable et nécessaire pédagogie différenciée de la lecture et de la compréhension en organisant des ateliers de lecture où chaque élève peut progresser en fonction de ses besoins.

Ce cahier a été conçu en relation étroite avec les autres outils de la collection *L'Atelier de lecture* : *Fichier d'évaluation CE1* et *CD-Rom d'entrainement CE1*. Il peut, toutefois, être utilisé indépendamment de ces derniers.

1 LES OPTIONS PÉDAGOGIQUES RETENUES

• **Une répartition claire par domaine**

Le cahier est organisé en **4 domaines** : *Bien lire les mots, Bien lire les phrases, Bien lire les histoires, Bien lire les documents.*

Chaque domaine est décliné en 2 ou 3 objectifs de lecture visant le développement de compétences qui entrent en jeu dans l'acte de lire.

Domaine 1 : Bien lire les mots

Objectif 1 : Je déchiffre les mots sans erreur

Cet objectif vise à réviser et entrainer les différents aspects de l'approche graphophonologique découverts au CP : techniques de décodage, discrimination des lettres et des sons proches, rappel des principaux graphèmes complexes, valeurs des lettres.

Objectif 2 : Je reconnais rapidement les mots

On propose ici des activités destinées à entrainer une meilleure reconnaissance « orthographique » des mots. Les exercices font travailler le repérage immédiat des mots familiers et de mots proches visuellement tout en jouant sur la typographie.

Objectif 3 : J'enrichis mon vocabulaire

On cible ici l'enrichissement du bagage linguistique en abordant les principaux éléments du programme de CE1 : mots-étiquettes, synonymes, contraires, familles de mots et dérivés.

Domaine 2 : Bien lire les phrases

Objectif 1 : Je comprends les phrases (niveau 1)

Cette section a pour objectif de construire le sens des phrases courtes à la structure syntaxique simple. On étudie ici les consignes, les liens syntaxiques et sémantiques, les différentes manières de dire la même chose, les reprises anaphoriques.

Objectif 2 : Je comprends les phrases (niveau 2)

Dans cette partie, l'élève s'entraine à la compréhension d'unités de sens plus élaborées portant sur des phrases plus longues. Celles-ci contiennent des informations plus nombreuses portant sur le lieu, le temps, la cause… En fin d'objectif, on aborde les problèmes de traitement plus complexes : inférences, déduction ainsi que la construction d'un sens plus élargi impliquant plusieurs phrases.

Domaine 3 : Bien lire les histoires

Objectif 1 : Je repère les informations principales d'une histoire

L'élève s'entraine d'abord à repérer dans un texte les éléments explicites qui le constituent : identification des personnages, topologie des lieux, temporalité. Les textes du début sont constitués de phrases courtes et accompagnés d'illustrations qui étayent la compréhension. On travaille également dans cette section les reprises anaphoriques (pronominalisation) ainsi que les représentations mentales des situations les plus simples (cheminement des personnages et chronologie des actions).

ISBN : 978-2-09-122437-4

Objectif 2 : Je comprends le sens d'une histoire

Ici, on s'entraine à combiner les différentes unités de sens qui composent un texte pour en comprendre la trame. Pour cela, on apprend à synthétiser un groupe de phrases en un tout signifiant, à saisir l'implicite d'un texte et à dégager le sens général d'une histoire. Enfin, les élèves sont invités à entrer dans un texte long découpé en trois épisodes qui les amène à intérioriser un schéma narratif complet.

Domaine 4 : Bien lire les documents

Objectif 1 : Je repère des informations dans un document

On aborde dans cet objectif l'identification de différents types de textes informatifs ou documentaires, leur fonction, ainsi que le repérage d'informations simples.

Objectif 2 : Je comprends et j'utilise des informations dans un document

À partir de documents un peu plus complexes, l'élève s'exerce à repérer et à comprendre des informations. Il commence à croiser ces informations pour en déduire de nouvelles connaissances.

• **Un entrainement individualisé**

Les 4 domaines peuvent être abordés successivement ou en parallèle, selon les besoins des élèves ou les choix de l'enseignant. L'organisation du cahier prend en compte l'hétérogénéité de la classe en proposant à chaque élève des niveaux d'activités en rapport avec ses compétences.

Ainsi, pour chaque objectif, les exercices sont déclinés en trois niveaux de difficulté : niveau ★ (simples), niveau ★★ (degré de difficulté légèrement supérieur) ; les exercices de niveau ★★★ proposent, quant à eux, des activités plus complexes, requérant des compétences de lecture plus affirmées.

• **Une vision claire des résultats**

À la fin de chaque exercice, un système de codage simple des résultats permet à l'enfant d'apprendre peu à peu à s'autoévaluer en s'appuyant sur les corrigés (disponibles sur le site www.nathan.fr/atelier-lecture).

En reportant ses scores dans la grille de suivi, il peut visualiser son parcours d'apprentissage, ses réussites et ses faiblesses.

2 CONSEILS D'UTILISATION

• **La mise en œuvre des activités de lecture**

L'enseignant jugera, selon les besoins de ses élèves et la difficulté des exercices travaillés, s'il doit donner un exemple ou faire réaliser une partie de manière collective pour que la consigne soit comprise de tous.

L'utilisation de ce cahier se conçoit, selon nous, dans le cadre d'une pédagogie de la lecture qui alterne, dans de justes proportions, les activités d'entrainement et les autres activités de lecture (fréquentation du coin lecture ou des bibliothèques, pratique de la lecture suivie…).

• **La correction : temps d'élucidation des stratégies de lecture**

Si les exercices proposés privilégient la lecture silencieuse, leur correction peut donner lieu à une mise en commun qui permettra d'expliciter les stratégies de travail les mieux adaptées et les comportements ou « gestes mentaux » les plus efficaces.

Nous espérons que ce cahier répondra aux besoins et aux attentes des enseignants. Son ambition est d'enrichir, en la diversifiant, la palette d'activités que tout enseignant se doit de mettre en place pour que chacun de ses élèves devienne le *vrai lecteur* qu'on attend de lui, condition *sine qua non* d'une scolarité réussie.

Les auteurs

SOMMAIRE

MODE D'EMPLOI

Dans ton cahier de lecture, tu vas lire, mais tu vas aussi...

cocher des cases	☒
entourer des mots	bras - jambe - (dent) - pied
barrer des mots	~~la récréation~~
souligner des mots	la trousse
relier des mots ou des phrases	rapidement • • caillou pierre • • vite
compléter des listes ou des phrases	Dans la ..cour.,

Si tu veux devenir un bon lecteur :

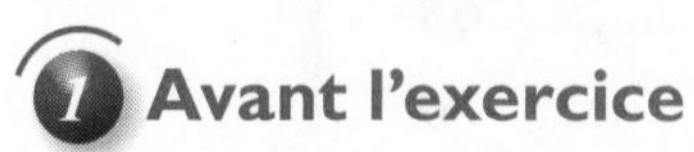

1 Avant l'exercice

Lis attentivement la consigne afin de comprendre ce que tu dois faire.

2 Pendant l'exercice

Réponds aux questions dans ta tête d'abord, puis écris ta réponse sur ton cahier.

3 Après l'exercice

Regarde la correction et compte le nombre de bonnes réponses que tu as obtenues. Colorie ou entoure le visage qui correspond à ton score.

Par exemple, si tu as obtenu 3 bonnes réponses : tu colories ou tu entoures le visage correspondant.

0 à 1 2 à 3 4

Reporte ensuite ce résultat dans la grille de suivi en coloriant le visage correspondant à ton score avec la couleur qui convient :

rouge orange vert

Bien lire les mots

Relie chaque enfant à la pancarte qu'il peut compléter.

Objectif 1 : Je déchiffre les mots sans erreur.

1 Mot à mot

☆ **Remets dans l'ordre les syllabes des mots correspondant aux dessins, comme dans l'exemple.**

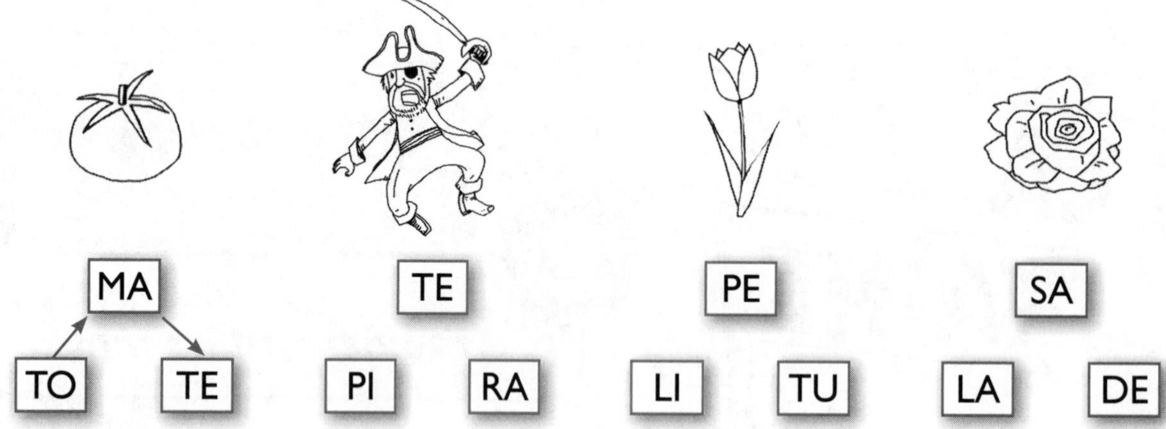

Entoure le nombre de bonnes réponses.   
0 1 à 2 3

☆☆ **Même exercice.**

Entoure le nombre de bonnes réponses.  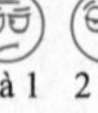 
0 à 1 2 à 3 4

☆☆☆ **Utilise les syllabes pour fabriquer cinq mots différents.**

....

....

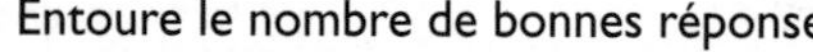

Entoure le nombre de bonnes réponses. 
0 à 1 2 à 3 4 à 5

Reporte tes résultats dans la grille de suivi.

Des lettres dans tous les sens !

☆ **Colorie les formes en suivant le code couleur, comme dans l'exemple.**

p : bleu
q : vert
b : rouge
d : jaune

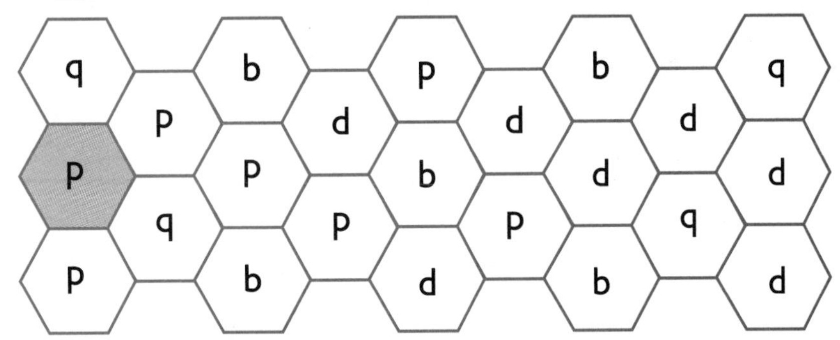

Entoure le nombre de bonnes réponses.  0 à 9 — 10 à 16 — 17 à 22

☆☆ **Même exercice.**

p : bleu
q : vert
b : rouge
d : jaune

p	B	p	d	q	b	q	d	p	b	p	D	Q
b	P	b	D	B	Q	b	d	B	P	b	d	q

Entoure le nombre de bonnes réponses.    0 à 10 — 11 à 19 — 20 à 26

Entoure les lettres qui sont à la même place, comme dans l'exemple. Recopie-les ensuite dans l'ordre pour découvrir deux mots.

é	b	i	q
p	u	p	b
b	i	b	b
p	u	b	e

é	d	l	q
b	u	d	p
d	i	d	p
p	n	d	e

é.......................

p	d	b	q
a	b	l	q
d	a	q	p
q	d	p	e

q	p	b	d
a	d	l	p
b	a	p	q
p	d	b	e

....

Entoure le nombre de bonnes réponses.    0 — 1 — 2

Reporte tes résultats dans la grille de suivi.

Objectif 1 : Je déchiffre les mots sans erreur.

3 Ou, o, oi…

☆ **Entoure une lettre dans chaque colonne pour former le mot correspondant au dessin, comme dans l'exemple. Puis écris-le.**

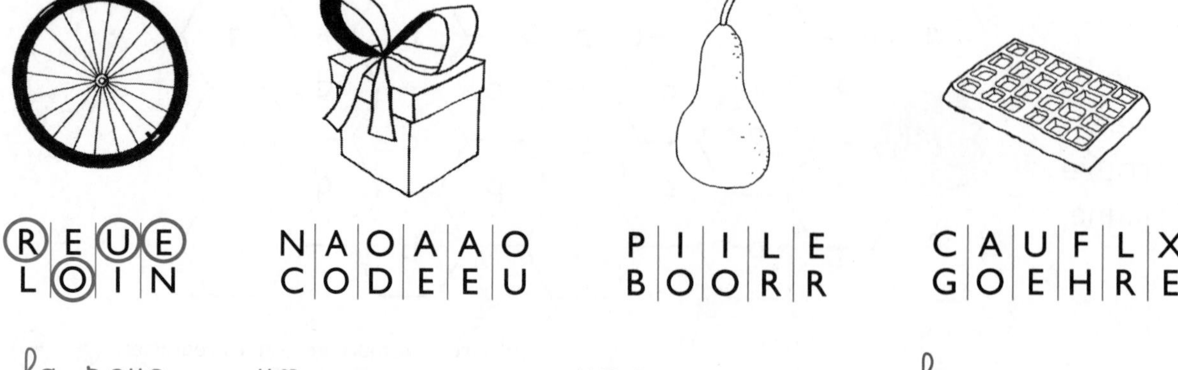

R	E	U	E
L	O	I	N

N	A	O	A	A	O
C	O	D	E	E	U

P	I	I	L	E
B	O	O	R	R

C	A	U	F	L	X
G	O	E	H	R	E

la roue un .... une .... la ....

Entoure le nombre de bonnes réponses.  0 1 à 2 3

☆☆ **Même exercice.**

O	U	S	O	N	U
E	I	Z	E	A	N

N	E	U	C	G	A	I	T
M	O	I	S	H	O	U	R

A	I	T	O	R	A	U	T	E
O	U	D	A	U	O	N	D	R

un .... un .... une ....

Entoure le nombre de bonnes réponses.  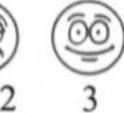 0 1 à 2 3

☆☆☆ **Entoure le mot en bleu qui convient.**

- Ton dessin est très boit / bout / beau.
- Lilou porte son petit frère sur son doigt / doux / dos.
- Dans son jardin, Ali fait pousser des petits poux / pois / peaux.

Entoure le nombre de bonnes réponses.    0 1 à 2 3

Reporte tes résultats dans la grille de suivi.

M ou n ?

☆ **Trace le chemin qui va de « panne » à « inutile » en passant par tous les mots où on entend le son [n], comme dans l'exemple.**

panne ↓	flan	lion	fini	laine	renard	dinde
donne	mine	pin	tonne	avant	zone	genou
dent	cane	menu	chienne	cinq	conte	inutile

Entoure le nombre de bonnes réponses.  0 à 4  5 à 7  8 à 11

☆☆ **Trace le chemin qui va de « gomme » à « domino » en passant par tous les mots où on entend le son [m].**

gomme	rempli	romain	régime	drame	amour	lame
demi	impoli	amuse	grimpe	pompe	ampoule	chemin
aime	remué	image	bombe	ennemi	timide	omelette
jambe	nom	tremble	lampe	domino	champ	exemple

Entoure le nombre de bonnes réponses.  0 à 5  6 à 10  11 à 15

☆☆☆ **Entoure les mots qui conviennent pour compléter chaque phrase.**

- Le cochon / cochonne a la queue en tirebouchon / tirebouchonne.
- Ces grands chiens / chiennes sont de bons gardiens / gardiennes.
- Les gamins / gamines mettent leur jupe bleu marin / marine.
- Avec Max, nous avons dessiné des plans / planes pour construire des cabans / cabanes.

Entoure le nombre de bonnes réponses.  0 à 2  3 à 5  6 à 8

Reporte tes résultats dans la grille de suivi.

Objectif 1 : Je déchiffre les mots sans erreur.

5 La lettre « e » dans tous ses états !

☆ **Entoure dans la grille les mots correspondant aux dessins, comme dans l'exemple.** Lis dans ce sens →.

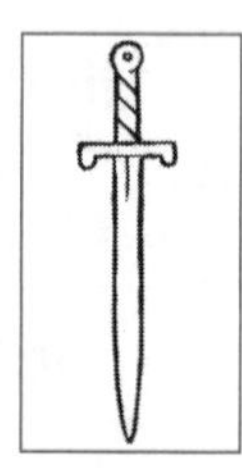

i	t	ê	t	e	e	é	t
t	r	é	p	é	e	s	ê
t	e	r	é	l	è	v	e
é	c	r	ê	p	e	l	è

Entoure le nombre de bonnes réponses.   
0 | 1 à 2 | 3

☆☆ **Même exercice.** Lis dans ce sens ↓.

D	G	G	E	T	S	A	T
E	A	R	N	R	E	T	R
S	L	E	V	E	R	E	G
S	E	N	O	I	P	R	U
I	T	A	L	N	E	R	Ê
N	T	R	E	E	N	E	P
E	E	D	T	R	T	R	E

Entoure le nombre de bonnes réponses.   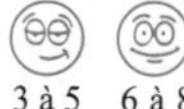
0 à 2 | 3 à 5 | 6 à 8

 **Complète les phrases en utilisant les mots de la grille.**
Lis dans ce sens → et dans ce sens ↓.

Le papa de Noé a fait cuire un .... de poule tout frais. Il a mis une pincée de .... dessus. Sa sœur a étalé du .... sur sa tartine. Hummm ! Il va faire un bon .... !

S	E	B	E
B	R	E	T
O	E	U	F
E	P	R	E
W	A	R	S
F	S	E	L

Entoure le nombre de bonnes réponses.   
0 à 1 | 2 à 3 | 4

Reporte tes résultats dans la grille de suivi.

6 Aïe, ail, ay !

☆ **Relie chaque mot à la lettre manquante, comme dans l'exemple.**

un cra • on | un cam • on | une • mage | une ra • ure

i | y

un mill • er | un tu • au | un vo • age | les • eux

Entoure le nombre de bonnes réponses. 0 à 2 | 3 à 5 | 6 à 7

☆☆ **Relie chaque mot au groupe de lettres manquant.**

il trav • | il maqu • | il chat • | il se rév •

ille | aille | eille | ouille

elle s'hab • | elle bat • | elle bred • | elle cons •

Entoure le nombre de bonnes réponses. 0 à 2 | 3 à 5 | 6 à 8

☆☆☆ **Complète les mots correspondant aux dessins avec les lettres en bleu qui conviennent.**

i – y – ill – ail – eil – ouille – euille

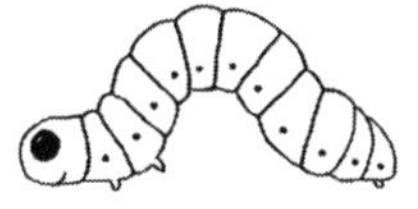
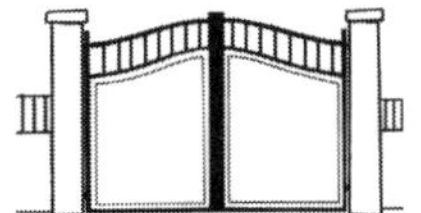

un rév........ | *la chen........e* | *le port........* | *la gren........*

une f........ | *un palm...er* | *un ...aourt* | *un no...au*

Entoure le nombre de bonnes réponses. 0 à 2 | 3 à 5 | 6 à 8

Reporte tes résultats dans la grille de suivi.

Objectif 1 : Je déchiffre les mots sans erreur.

7 Frais ou vrai ? Mou ou nous ?

☆ **Relie les dessins aux sons correspondants.**
Attention, le même dessin peut être relié à plusieurs paniers !

Entoure le nombre de bonnes réponses.  
0 à 3 | 4 à 6 | 7 à 10

☆☆ **Écris la ou les lettres qui manquent dans chaque mot.**

- f ou v — il est .....âché — le .....ent — j'ai .....aim
- f et v — il est .....i..... — la .....iè.....re — .....é.....rier
- m ou n — un .....id — le .....aitre — un .....ain
- m et n — un .....a.....ège — le ci.....é.....a — une .....i.....e

Entoure le nombre de bonnes réponses.   
0 à 4 | 5 à 8 | 9 à 12

☆☆☆ **Entoure les mots en bleu qui conviennent.**

- Les chiens font / vont dormir dans leur miche / niche.
- Le paysan a fendu / vendu son âme / âne au marché.
- Le monstre a de longues griffes / grives à ses mains / nains.
- Cette pie folle / vole des billes dans mon / non sac.

Entoure le nombre de bonnes réponses.  
0 à 2 | 3 à 5 | 6 à 8

Reporte tes résultats dans la grille de suivi.

8 Chou ou joue ? Cru ou grue ?

★ **Relie les dessins aux sons correspondants.**
Attention, le même dessin peut être relié à plusieurs paniers !

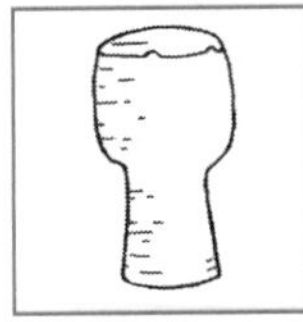

Entoure le nombre de bonnes réponses.  0 à 3  4 à 6  7 à 10

★★ **Écris la ou les lettres qui manquent dans chaque mot.**

• ch ou j	il l'a .....eté	un .....amp	une man.....e
• ch et g	elle .....an.....e	la dé.....ar.....e	le .....auffa.....e
• c ou g	un be.....	il se .....ache	elle est .....aie
• c et g	une .....a.....oule	un re.....tan.....le	le .....ampin.....

Entoure le nombre de bonnes réponses.  0 à 4  5 à 8  9 à 12

 **Entoure les mots en bleu qui conviennent.**

- Les cars / gares sont carrés / garés sur le parking.
- Le rossignol chante avec choix / joie dans sa cage / gage.
- Sara marche / marge dehors, dans le froid, sans porter ses camps / gants.
- Camille a léché / léger la cuillère pour couter / gouter la crème.

Entoure le nombre de bonnes réponses.  0 à 2  3 à 5  6 à 8

Reporte tes résultats dans la grille de suivi.

Objectif 1 : Je déchiffre les mots sans erreur.

Passe ou basse ? Tout ou doux ?

☆ **Relie les dessins aux sons correspondants.**
Attention, le même dessin peut être relié à plusieurs paniers !

     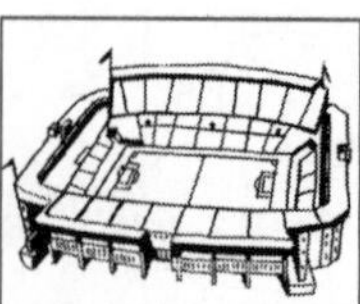

     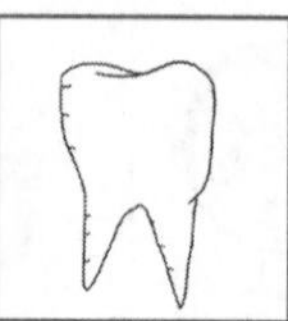

Entoure le nombre de bonnes réponses. 
0 à 4 5 à 7 8 à 11

☆☆ **Écris la ou les lettres qui manquent dans chaque mot.**

- b ou p — une .....oisson — il .....leut — il est .....âle
- b et p — un .....lom.....ier — en se.....tem.....re — c'est im.....ossi.....le
- d ou t — le mon.....e — c'est tor.....u — nous par.....ons
- d et t — un .....en.....iste — le .....oc.....eur — il est .....imi.....e

Entoure le nombre de bonnes réponses. 
0 à 4 5 à 8 9 à 12

☆☆☆ **Entoure les mots en bleu qui conviennent.**

- Le loup dort / tord dans les bois / pois.
- Siam part toujours à la bêche / pêche très dos / tôt.
- Un arbre se dresse / tresse au bord / port de l'eau.
- Malika baigne / peigne ses cheveux avec ses doigts / toits.

Entoure le nombre de bonnes réponses.   
0 à 2 3 à 5 6 à 8

Reporte tes résultats dans la grille de suivi.

Objectif 1 : Je déchiffre les mots sans erreur.

10 Grrrrrrrrrrrrrr !

★ **Entoure les mots correspondant aux cinq dessins.**

monter   cocher   proche   crochet

brique

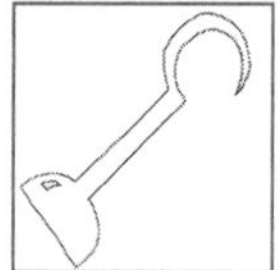
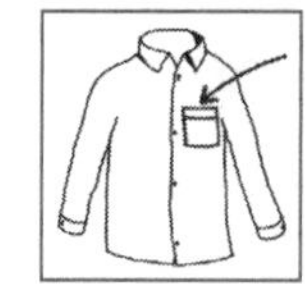

bique

montre   brosse   bosse   poche

Entoure le nombre de bonnes réponses.

0 à 1   2 à 3   4 à 5

★★ **Entoure les mots correspondant aux huit dessins.**

cadre   carde   carte   orge   ogre

quatre

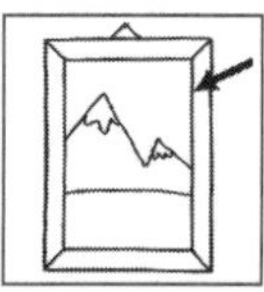

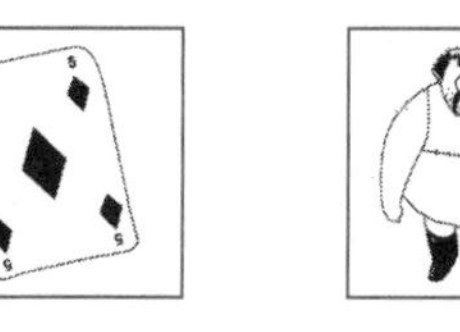

tour

trou

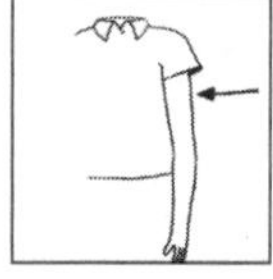

bras

bar   barque   braque   cirque   crique

Entoure le nombre de bonnes réponses.

0 à 2   3 à 5   6 à 8

★★★ **Barre le mot mal écrit dans chaque phrase, puis recopie-le correctement, comme dans l'exemple.**

- Il y a beaucoup ~~torp~~ de bruit. *trop*
- Ne cire pas trop fort ! ....
- La trotue mange des légumes frais. ....
- Il faut trier les cartes avant la pratie. ....
- Pourrais-tu grader mon chien ? ....
- Le préau est porche de l'entrée. ....

Entoure le nombre de bonnes réponses.

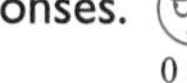

0 à 1   2 à 3   4 à 5

Reporte tes résultats dans la grille de suivi.

Objectif 1 : Je déchiffre les mots sans erreur.

11 Bla bla bla !

★ **Trace une flèche à l'endroit où il faut placer la lettre « ℓ », comme dans l'exemple.**

C_O_CHE	P_A_ME	F_O_CON	P_U_S
↑ℓ	ℓ	ℓ	ℓ

Entoure le nombre de bonnes réponses.    0 1 à 2 3

★★ **Même exercice.**

SOU_P_E	A_B_UM	P_A_CARD	F_A_QUE
ℓ	ℓ	ℓ	ℓ
SPECTA_C_E	BA_C_ON	TA_B_EAU	G_A_ÇON
ℓ	ℓ	ℓ	ℓ

Entoure le nombre de bonnes réponses.    0 à 2 3 à 5 6 à 8

★★★ **Entoure les mots en bleu qui conviennent.**

- On reproduit un dessin avec du papier claque / calque / craque.
- Pablo a repassé son linge puis l'a pilé / plié / prié.
- La cabane est construite en planches / blanches / penches.
- Farah refait la bouc / boule / boucle de ses lacets.
- Le fruit du chêne s'appelle le gant / clan / gland / galant.

Entoure le nombre de bonnes réponses.    0 à 1 2 à 3 4 à 5

Reporte tes résultats dans la grille de suivi.

12 La lettre « s » dans tous ses états !

★ **Entoure le groupe de mots qui convient pour chaque dessin.**

une rose	elle vise	une table base	il case
une rosse	elle visse	une table basse	il casse

Entoure le nombre de bonnes réponses.   
0 à 1 2 à 3 4

★★ **Même exercice.**

   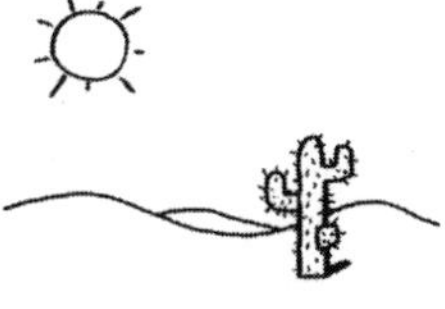 

un cousin	du poison	un désert	il embrase
un coussin	du poisson	un dessert	il embrasse

Entoure le nombre de bonnes réponses.   
0 à 1 2 à 3 4

 **Barre dans chaque phrase le mot en bleu qui est mal écrit.**

- Noël doit progresser pour mieux nager la brase.
- Je ne veux pas que tu lisses dans le bus.
- Maé est malade : il a mal aux cuises et a des frissons dans le dos.
- Le maitre nous laisse toujours lire à voix base.

Entoure le nombre de bonnes réponses.   
0 à 1 2 à 3 4

Reporte tes résultats dans la grille de suivi.

La lettre « c » dans tous ses états !

★ **Relie les mots pour faire deux colliers, comme dans l'exemple.**

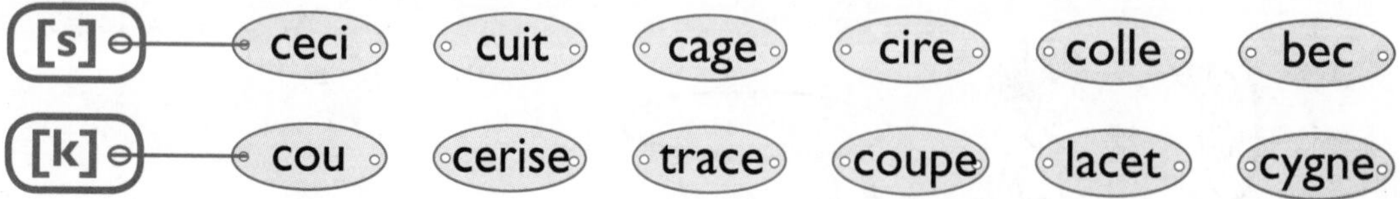

Entoure le nombre de bonnes réponses. 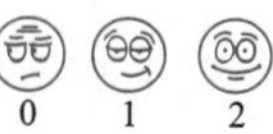

★★ **Même exercice.** Attention aux intrus !

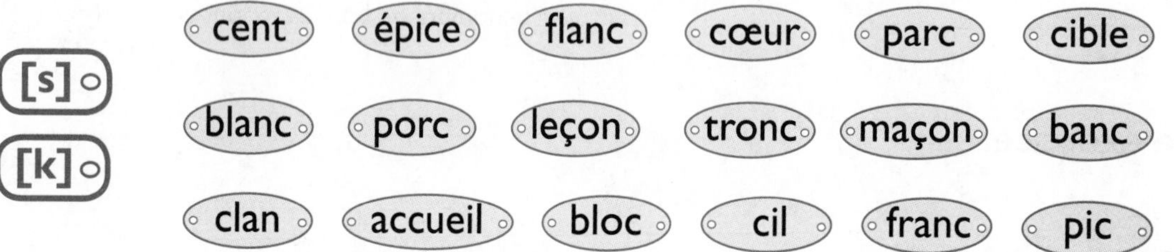

Entoure le nombre de bonnes réponses. 

★★★ **Coche les phrases correctes.**

☐ Louis cite son pull à sol roulé.
☐ Louis quitte son pull à col roulé.

☐ Zoé a ramassé des cerises au bord du lac.
☐ Zoé a ramassé des crises au bord du lace.

☐ Il y avait un spectacle comice sur la plaque de la mairie.
☐ Il y avait un spectacle comique sur la place de la mairie.

☐ Le chasseur trace l'animal en le suivant à la traque.
☐ Le chasseur traque l'animal en le suivant à la trace.

Entoure le nombre de bonnes réponses.   
0 à 1 2 à 3 4

Reporte tes résultats dans la grille de suivi.

14 La lettre « g » dans tous ses états !

☆ **Relie chaque mot à la lettre ou au groupe de lettres qui peut remplacer l'étoile.**

 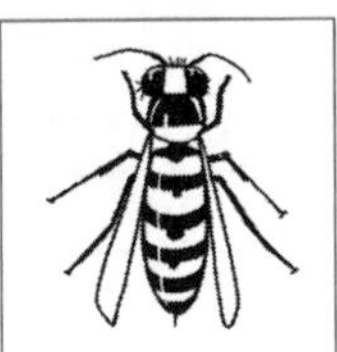 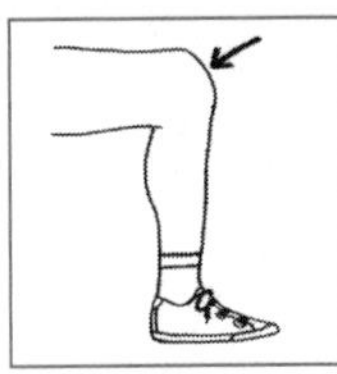 

ca ★ e •  g • ★ êpe

★ enou •  g • va ★ e

★ irafe • gu • ar ★ ent

★ itare • gu • na ★ eur

 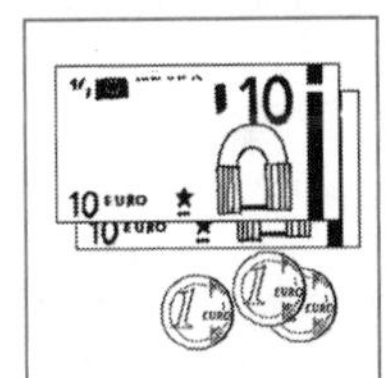  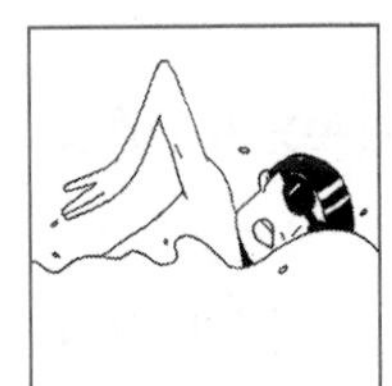

Entoure le nombre de bonnes réponses.    0 à 2 3 à 5 6 à 8

☆☆ **Même exercice.**

un plon ★ oir • il navi ★ e • elle s'éloi ★ ne • il sai ★ e •

g ge gu gn

• une ba ★ ette • un dra ★ on • le poi ★ et • un bour ★ on

Entoure le nombre de bonnes réponses.  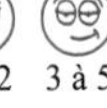  0 à 2 3 à 5 6 à 8

Coche les phrases qui n'ont pas de sens. Barre le ou les mots qui ne conviennent pas dans ces phrases.

- ☐ Le champignon de judo a gagné le combat.
- ☐ Kim a soigné un mignon petit agneau blessé.
- ☐ Le général a gagné la guerre.
- ☐ Le sorcier a piégé l'ogre garce à ses pouvoirs magiques.

Entoure le nombre de bonnes réponses.    0 à 1 2 à 3 4

Reporte tes résultats dans la grille de suivi.

Objectif 2 : Je reconnais rapidement les mots.

Les jumeaux de l'école

☆ **Relie le jumeau du mot en bleu au dessin à chaque fois que tu le vois, comme dans l'exemple.**

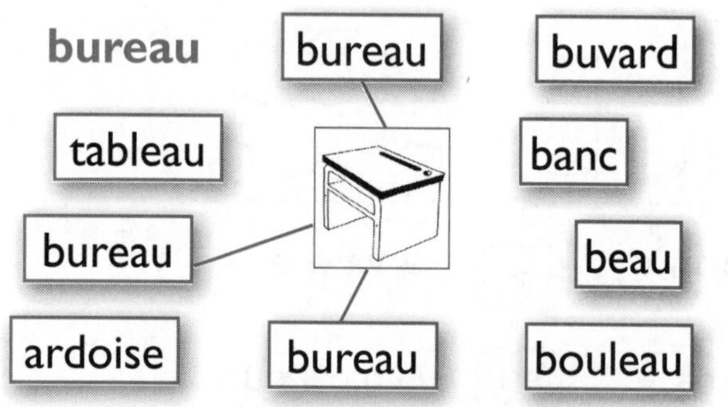

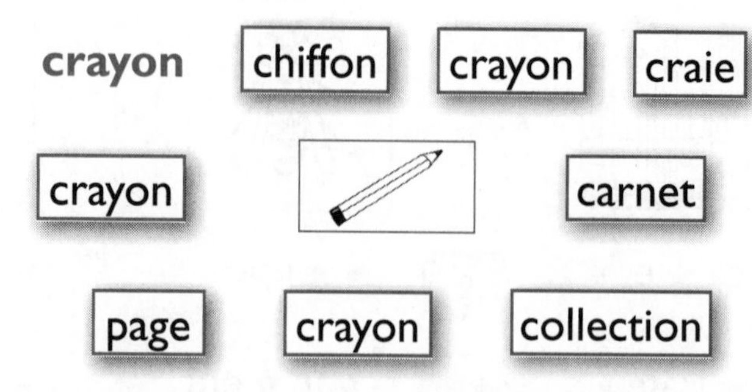

Entoure le nombre de bonnes réponses.   
0 à 1 2 à 3 4 à 5

☆☆ **Même exercice.**

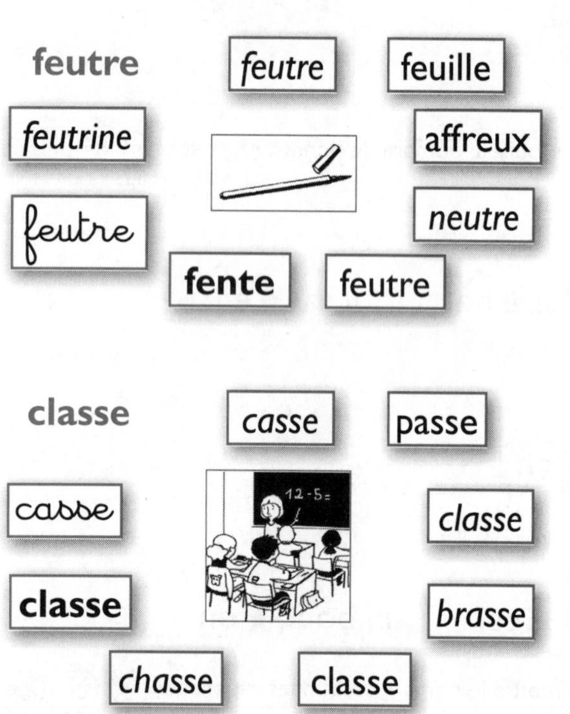

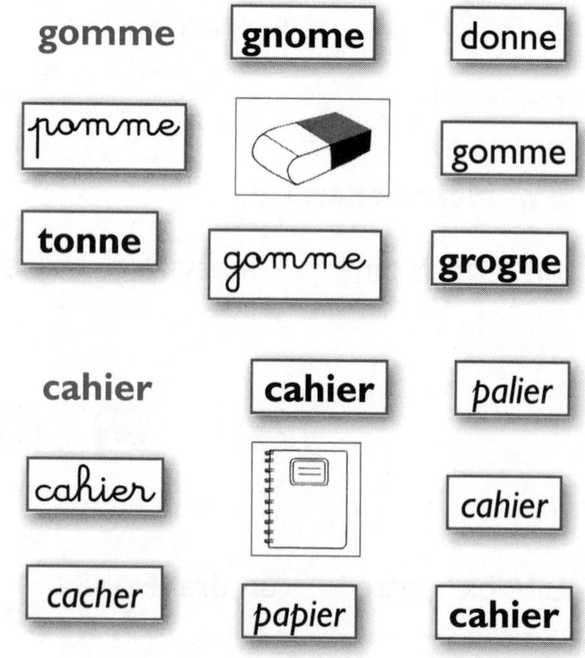

Entoure le nombre de bonnes réponses.  
0 à 4 5 à 8 9 à 12

 **Relie par deux les mots identiques.**

AFFIAIRE AFFRICHE AFFICHE ARNOIRE EFFACEUR
AFFAIRE AFFICHE FICHE ARMOIRE ARMIORE
AFFLICHE FARCEUR ARMOIRIE EFFARCEUR
AFFAIRE ARMOIRE EFFACEUR

Entoure le nombre de bonnes réponses.  
0 à 1 2 à 3 4

Reporte tes résultats dans la grille de suivi.

16 Minuscules et majuscules

☆ **Relie par deux les mots identiques, comme dans l'exemple.**
Attention aux intrus !

	• bord				• s'ouvrir
FOND •	• fort		SOLEIL •		• souvenir
DROIT •	• fond		SOUVENIR •		• sommeil
BORD •	• droit		SOMMEIL •		• souffre
FROID •	• bruit		SOUFFLE •		• soleil
BRUIT •	• froid		SOURIRE •		• sourire
	• boit				• souffle

Entoure le nombre de bonnes réponses. 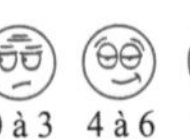  0 à 3 4 à 6 7 à 9

☆☆ **Relie par trois les mots identiques, comme dans l'exemple.**
Attention aux intrus !

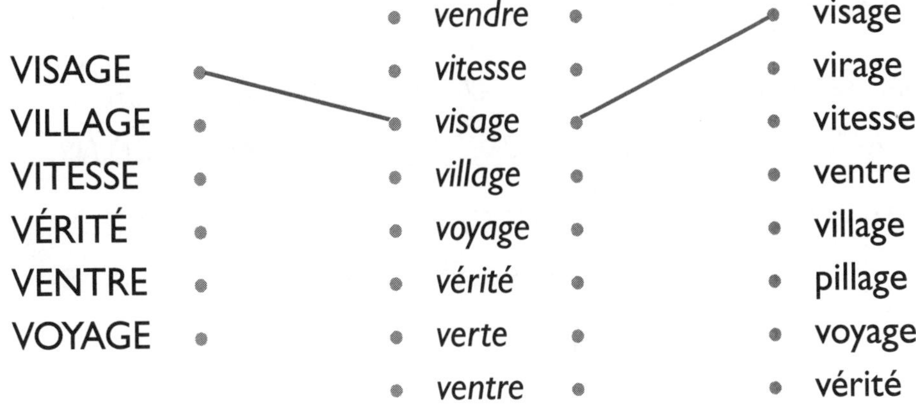

	• *vendre* •	• visage
VISAGE •	• *vitesse* •	• virage
VILLAGE •	• *visage* •	• vitesse
VITESSE •	• *village* •	• ventre
VÉRITÉ •	• *voyage* •	• village
VENTRE •	• *vérité* •	• pillage
VOYAGE •	• *verte* •	• voyage
	• *ventre* •	• vérité

Entoure le nombre de bonnes réponses. 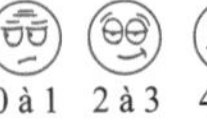 0 à 1 2 à 3 4 à 5

Entoure les mots de la liste dans la grille, comme dans l'exemple. Lis dans ce sens →.

nez – bouche – langue – oreille
lèvre – front – joue – menton

F	O	N	T	E	M	E	N	T	E	J	O	U	E	V
L	A	N	G	E	A	N	E	N	E	Z	J	E	U	R
E	L	B	O	U	C	H	L	I	M	E	N	T	O	N
N	F	R	O	N	T	L	I	È	V	R	E	T	E	S
U	B	O	U	C	L	E	A	O	R	E	I	L	L	E
P	L	A	N	G	U	E	U	S	O	U	C	H	E	L
A	B	O	U	C	H	E	T	L	È	V	R	E	I	B

Entoure le nombre de bonnes réponses.     0 à 2 3 à 5 6 à 7

Reporte tes résultats dans la grille de suivi.

Objectif 2 : Je reconnais rapidement les mots.

17 Les mots attachés

☆ **Sépare d'un trait les mots de la liste en bleu en t'aidant du modèle, comme dans l'exemple.**

- ÉCOLE–ARDOISE–CLASSEUR–CANTINE–STYLO–TROUSSE–CARTABLE
  ÉCOLE/ARDOISECLASSEURCANTINESTYLOTROUSSECARTABLE
- **calcul–dictée–dessin–leçon–faute–récitation–travail–récréation**
  calculdictéedessinleçonfauterécitationtravailrécréation
- sport–vacances–musique–écriture–conjugaison–brouillon–consigne
  sportvacancesmusiqueécritureconjugaisonbrouillonconsigne

Entoure le nombre de bonnes réponses. 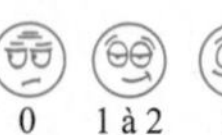 0 1 à 2 3

☆☆ **Même exercice.**

- devoirs–soutien–effort–erreur–aide–bulletin–oral–idée–spectacle
  devoirssoutienefforterreuraidebulletinoralidéespectacle
- attentif–triste–simple–sombre–certain–effacé–mauvaise–clair
  ATTENTIFTRISTESIMPLESOMBRECERTAINEFFACÉMAUVAISECLAIR
- LIS–ÉCRIS–COMPLÈTE–BARRE–SOULIGNE–COCHE–RECOPIE–ENTOURE
  lisécriscomplètebarresoulignecocherecopieentoure

Entoure le nombre de bonnes réponses. 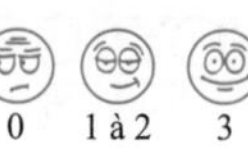 0 1 à 2 3

 **Relie chaque mot en bleu à la liste dans laquelle il se trouve. Entoure-le dans la liste.** Attention, il y a une liste de trop !

	• *pendudanspendantparquoifoisautantparquand* •	
POURQUOI	• **autourpartantquepourquoidesfoisquelquetant** •	PENDANT
	• pourquelquoiparfoispourquitantparquelque •	
POURTANT	• partoutautantquepourquiperdantquoiquelletant •	PARFOIS
	• quandlequelpourautantsauftantpourtantaussi •	

Entoure le nombre de bonnes réponses.    0 à 1 2 à 3 4

Reporte tes résultats dans la grille de suivi.

Objectif 2 : Je reconnais rapidement les mots.

18 Les mots cachés

★ **Relie chaque mot au groupe de lettres en bleu dans lequel il se cache. Puis entoure-le, comme dans l'exemple.**

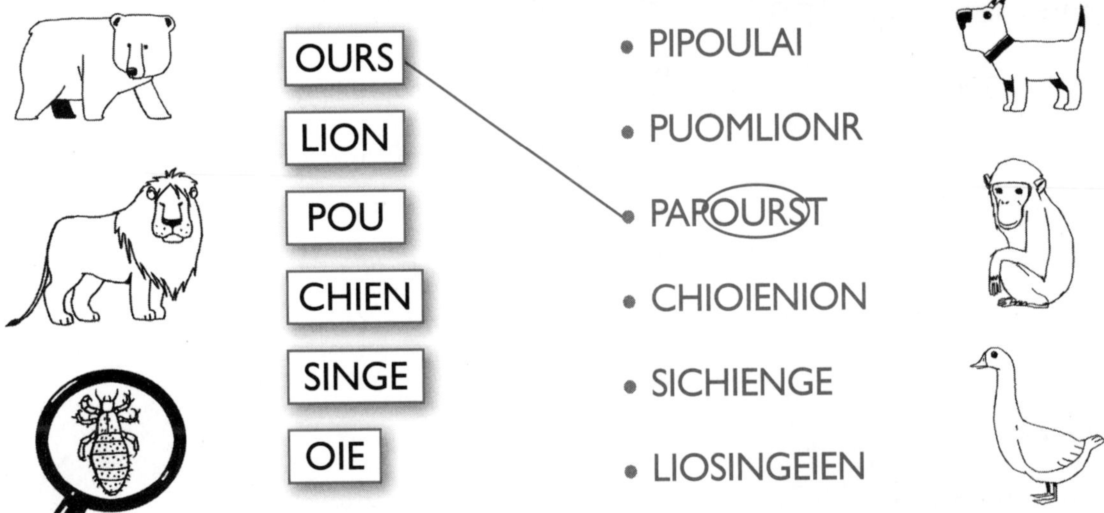

OURS	• PIPOULAI
LION	• PUOMLIONR
POU	• PAROURST
CHIEN	• CHIOIENION
SINGE	• SICHIENGE
OIE	• LIOSINGEIEN

Entoure le nombre de bonnes réponses.   0 à 1 2 à 3 4 à 5

★★ **Même exercice.** Attention aux intrus !

entre •	• gesntentrene
	• povercevant
vers •	• grisounetre
	• renpantsousfle
sous •	• encontretgrio
devant •	• devnatverstfre
	• entodevantlers
contre •	• verentousontre

Entoure le nombre de bonnes réponses.    0 à 1 2 à 3 4 à 5

★★★ **Entoure le mot qui se cache dans chaque groupe de lettres en bleu. Puis recopie-le au bon endroit dans la phrase.**

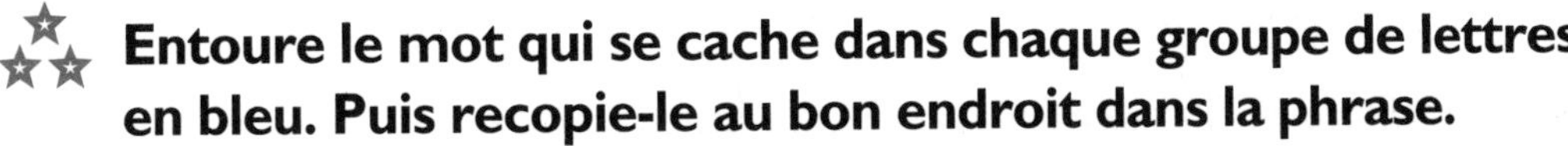

Lola a ____ une _____ sur ___ ____ pull ____ .

Entoure le nombre de bonnes réponses.    0 à 1 2 à 3 4 à 5

Reporte tes résultats dans la grille de suivi.

Objectif 2 : Je reconnais rapidement les mots.

19 Bien recopié !

☆ **Souligne les mots mal recopiés, comme dans l'exemple.**

Crépuscule

Le ciel se fait sombre,
Le jardin s'endort,
Le hibou dans l'ombre
Ouvre ses yeux d'or.
Le jardin sommeille
Et la lune luit,
Et l'étoile veille
Au fond du vieux puits.

Jean-Luc Moreau, « Crépuscule » in *l'arbre perché*, Collection *Enfance heureuse*, Éditions de l'Atelier / Éditions Ouvrières, 1979.

Crépuscule

Le ceil se fait sambre,
Le jadrin s'endort,
Le hibou dans l'ombre
Ourve ses yeux d'or.
Le jardin sommielle
Et la lune luit,
Et l'étiole vieille
Au fond du veiux puits.

Entoure le nombre de bonnes réponses.  0 à 2  3 à 5  6 à 7

☆☆ **Même exercice.**

La marmotte vit en montagne. Elle mange de l'herbe, des fleurs, des insectes, des graines et beaucoup d'autres choses encore ! Cet animal passe plus de la moitié de l'année à dormir dans son terrier !

La marmotte vit en montague. Elle mange de l'herde, des fleures, des incsectes, des grianes et deaucoup d'autres choses encrore ! Cet animal passe plus de la miotié de l'année à dornir dans son terrier !

Entoure le nombre de bonnes réponses.  0 à 3  4 à 6  7 à 10

Objectif 2 : Je reconnais rapidement les mots.

Coche le nom de l'élève qui a recopié tous les mots en bleu sans erreur. Barre les mots mal écrits par les autres élèves.

Recopie les mots de chaque liste dans l'ordre alphabétique.
❶ gardien – permission – escalier – soustraction – magicien – admiration.
❷ croisement – baignoire – refroidir – pointillé – lointain – peignoir.

☐ Tom

1. admiration – escaleir – gardien – magicein – permissoin – soustarction.
2. baignoire – croissement – lointain – peignoir – pointillié – refroidrir.

☐ Léo

1. ADMIRATION – ESCALIER – GARDIEN – MAGICIEN – PERMISSION – SOUSTRACTION.
2. BAIGNOIRE – CROISEMENT – LOINTAIN – PEIGNOIR – POINTILLÉ – REFROIDIR.

☐ Lola

1. admiration - escalier - gradien - magicien - permision - soutraction.
2. baignoire - croisement - liontain - paignoir - piontillé - refroidir.

Entoure le nombre de bonnes réponses.  
0 à 5 6 à 9 10 à 14

➾ *Reporte tes résultats dans la grille de suivi.*

Objectif 3 : J'enrichis mon vocabulaire.

20 À chacun son étiquette

☆ **Relie chaque mot à l'étiquette qui convient, comme dans l'exemple.**

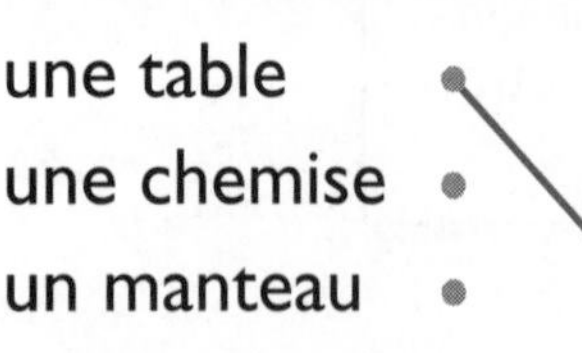

une table •
une chemise •
un manteau •
un tabouret •

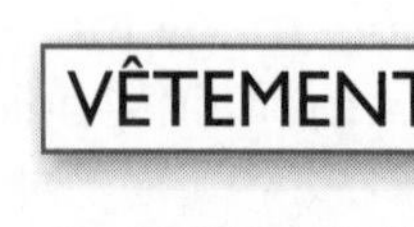

• VÊTEMENT •
• MEUBLE •

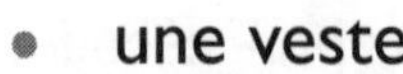
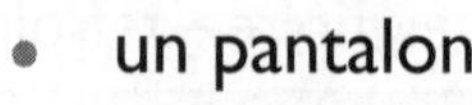
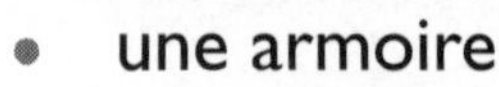
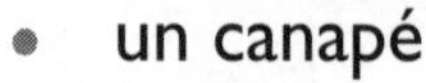

• une veste
• un pantalon
• une armoire
• un canapé

Entoure le nombre de bonnes réponses.    0 à 2 – 3 à 5 – 6 à 7

☆☆ **Même exercice.**

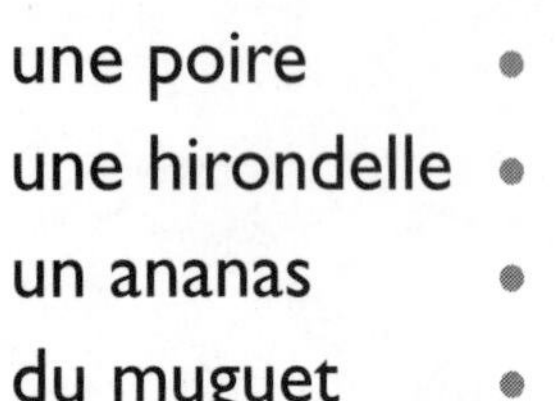

une poire •
une hirondelle •
un ananas •
du muguet •

• FLEUR •
• FRUIT •
• OISEAU •

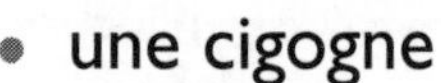
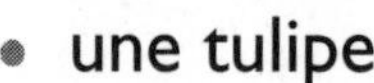

• un abricot
• une marguerite
• une cigogne
• une tulipe

Entoure le nombre de bonnes réponses.    0 à 2 – 3 à 5 – 6 à 8

☆☆☆ **Coche le mot en bleu qui convient pour compléter chaque liste.**

◆ VAISSELLE un saladier – un verre – une tasse – un plat –
- ☐ un four
- ☐ un gratin
- ☐ un bol

◆ INSECTE un moustique – une abeille – une guêpe –
- ☐ un pigeon
- ☐ un escargot
- ☐ une fourmi

◆ COULEUR orange – lilas – rose – vert – violet –
- ☐ marron
- ☐ pomme
- ☐ jeune

◆ MÉTIER l'infirmière – l'épicière – la bijoutière – la fermière –
- ☐ la barrière
- ☐ la libraire
- ☐ l'agrafeuse

Entoure le nombre de bonnes réponses.    0 à 1 – 2 à 3 – 4

Reporte tes résultats dans la grille de suivi.

21 Dis-moi la même chose !

★ **Entoure dans chaque liste le mot qui a le même sens que le mot en bleu, comme dans l'exemple.**

- glacé – beau – cher – (gelé) – chaud – doux
- drôle – triste – parfait – difficile – sombre – amusant
- bête – long – prudent – idiot – grand – malin
- joyeuse – courageuse – énervée – étourdie – gaie – forte
- calme – célèbre – tranquille – méchante – gourmande – paresseuse

Entoure le nombre de bonnes réponses.  0 à 1  2 à 3  4

★★ **Même exercice.**

- une bêtise – une réussite – une sottise – une découverte – une nouvelle
- une faute – une tache – une dispute – une erreur – une punition
- une blague – un secret – un bijou – une méchanceté – une plaisanterie
- un problème – une nouveauté – un souci – une solution – une idée
- une autorisation – une interdiction – une menace – une permission

Entoure le nombre de bonnes réponses.  0 à 1  2 à 3  4 à 5

 **Relie par deux les enfants qui disent la même chose à propos du ballon.**

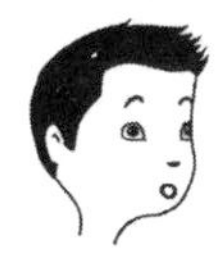

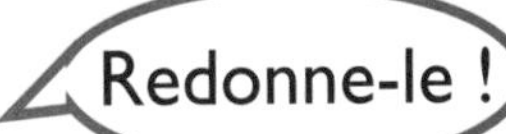

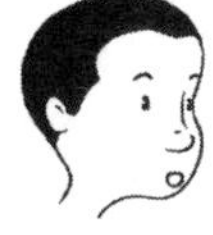

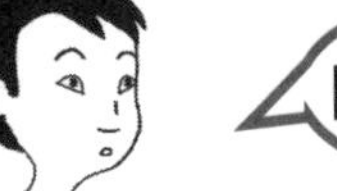

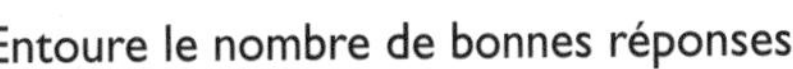
Entoure le nombre de bonnes réponses.  0 à 1  2 à 3  4

Reporte tes résultats dans la grille de suivi.

Objectif 3 : J'enrichis mon vocabulaire.

22 Dis-moi le contraire !

☆ **Relie chaque mot en bleu à son contraire, comme dans l'exemple.**

beau •	• long	vide •	• allumé
court •	• tard	mouillé •	• plein
gentil •	• laid	éteint •	• sec
tôt •	• méchant	foncé •	• fort
riche •	• pauvre	faible •	• clair

Entoure le nombre de bonnes réponses.  0 à 3 4 à 6 7 à 9

☆☆ **Même exercice.**

tu ouvres •	• tu salis	l'ami •	• la gaieté
tu montes •	• tu fermes	la tristesse •	• le bruit
tu nettoies •	• tu ralentis	le silence •	• l'ennemi
tu accélères •	• tu descends	le bonheur •	• le début
tu aimes •	• tu détestes	la fin •	• le malheur

Entoure le nombre de bonnes réponses.  0 à 3 4 à 6 7 à 10

 **Entoure le visage des deux enfants quand le garçon dit le contraire de ce que dit la fille.**

Entoure le nombre de bonnes réponses.    0 1 2

Reporte tes résultats dans la grille de suivi.

La même famille

★ **Relie chaque mot encadré aux trois mots en bleu de la même famille.**

sale •

- la saleté
- la salive
- c'est salissant
- il s'est sali
- une salière

une dent •

- le dentiste
- du dentifrice
- elle est prudente
- un accident
- un dentier

Entoure le nombre de bonnes réponses.  0 à 2  3 à 4  5 à 6

★★ **Relie chaque mot encadré aux mots en bleu de la même famille.**

froid •

frais •

- ça rafraichit
- la fraicheur
- c'est refroidi
- c'est rafraichissant
- le refroidissement

un nom •

un nombre •

- ils sont nombreux
- un surnom
- nomme-le
- son prénom
- ils sont innombrables

Entoure le nombre de bonnes réponses.  0 à 3  4 à 6  7 à 10

 **Relie chaque mot au mot en bleu de la même famille.**
Aide-toi du dessin.

pêche •

- un pêcheur
- empêcher
- un pêcher

boucher •

- déboucher
- le bouchon
- la boucherie

ferme •

- un fermier
- la fermeture
- enfermer

souris •

- souriante
- un souriceau
- un sourcil

Entoure le nombre de bonnes réponses.  0 à 1  2 à 3  4

Reporte tes résultats dans la grille de suivi.

Objectif 3 : J'enrichis mon vocabulaire.

La famille s'agrandit !

★ **Entoure le mot de la même famille caché au début de chaque mot, comme dans l'exemple.**

LAIT AGE – BIJOUTERIE – TERRESTRE – JARDINIÈRE – VISSER – SAVONNETTE

Entoure le nombre de bonnes réponses. 0 à 1 2 à 3 4 à 5

★★ **Entoure le mot de la même famille caché dans chaque mot.**

IMPOSSIBLE – MALPROPRETÉ – RETARD – RALENTIR – ALLONGÉ – AGENOUILLÉ

Entoure le nombre de bonnes réponses. 0 à 2 3 à 4 5 à 6

★★ **Coche le mot en bleu qui convient.**

- C'est un petit **coffre** : ☐ un coffret ☐ un coffrage ☐ un coffre-fort.
- On y fait du **patin** à glace : ☐ la patinette ☐ la patinoire ☐ la patineuse.
- Elle dirige une **banque** : ☐ la banquette ☐ la banquise ☐ la banquière.
- Elle sert à **percer** des trous : ☐ la percée ☐ la persienne ☐ la perceuse.
- On y **lave** du linge : ☐ la lavette ☐ la laverie ☐ la laveuse.

Entoure le nombre de bonnes réponses.

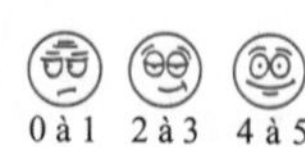

0 à 1 2 à 3 4 à 5

★★★ **Relie pour compléter le mot en bleu quand c'est possible, sinon barre la ligne.** Les deux premières lignes sont données en exemple.

C'est une petite cour : la cour… •

~~C'est un petit oubli : l'oubli…~~ •

C'est une petite tarte : la tarte… •   • ette

C'est un petit chou : la chou… •

C'est une petite goutte : la goutte… •   • lette

C'est une petite cloche : la cloch… •

C'est un petit cou : la cou… •

C'est une petite corde : la corde… •

Entoure le nombre de bonnes réponses.

0 à 2 3 à 4 5 à 6

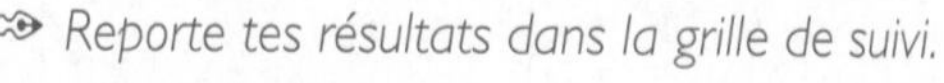

Reporte tes résultats dans la grille de suivi.

Bien lire les phrases

Relie chaque enfant au chien auquel il parle.

25 Est-ce une phrase ?

★ **Barre les suites de mots qui ne sont pas des phrases.**

Les enfants mangent.
Ils à la sont cantine.
Les tables de la sont rondes.
J'ai soif !
Je n'ai faim plus.
Le repas est bon.

Entoure le nombre de bonnes réponses.   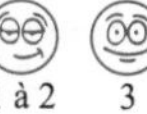
0 — 1 à 2 — 3

★★ **Même exercice.**

Les sont piscine.
Tu sais nager ?
On très s'amuse !
Je ne veux plus me baigner.
Est-ce que l'eau est froide ?
Je n'ai bouée pas de !
Cette fille plonge bien !
Qui n'a de pas de bonnet ?

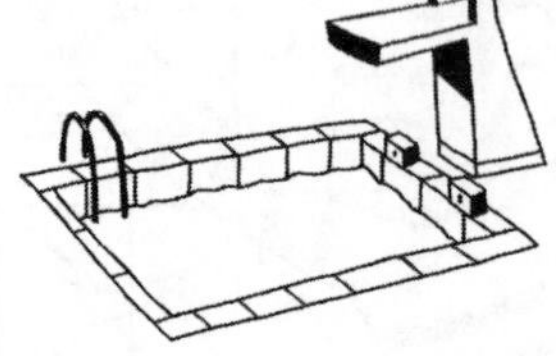

Entoure le nombre de bonnes réponses.   
0 à 1 — 2 à 3 — 4

★★★ **Relie chaque suite de mots à l'explication en bleu qui convient.**

La girafe a deux. •	• Il manque un mot.
Elle court très pattes vite. •	• La phrase est correcte.
La girafe a un très long cou. •	• Un mot n'est pas à sa place.
mangent Les girafes des feuilles. •	• Il y a un mot en trop.

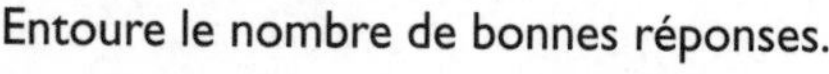

Entoure le nombre de bonnes réponses.    
0 à 1 — 2 à 3 — 4

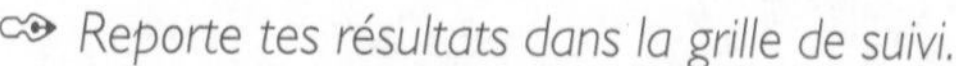
Reporte tes résultats dans la grille de suivi.

26 La phrase et le dessin (1)

★ Coche la phrase qui correspond au dessin.

- ☐ Martin dessine.
- ☐ Martin écrit.
- ☐ Martin mange.

- ☐ Lola court.
- ☐ Lola tombe.
- ☐ Lola saute.

- ☐ Lily travaille.
- ☐ Lily joue.
- ☐ Lily se lave.

- ☐ Sam crie.
- ☐ Sam rit.
- ☐ Sam pleure.

Entoure le nombre de bonnes réponses.  0 à 1  2 à 3  4

★★ Même exercice.

- ☐ Chloé a peur.
- ☐ Chloé a froid.
- ☐ Chloé a faim.

- ☐ Théo a chaud.
- ☐ Théo a mal.
- ☐ Théo a soif.

- ☐ Paul s'ennuie.
- ☐ Paul s'amuse.
- ☐ Paul s'inquiète.

- ☐ Zoé est méchante.
- ☐ Zoé est gentille.
- ☐ Zoé est sage.

Entoure le nombre de bonnes réponses.  0 à 1  2 à 3  4

★★★ Barre les phrases qui ne correspondent pas au dessin.

- Un singe se balance.
- L'éléphant se baigne.
- La maitresse est fâchée.
- Le lion se repose.
- Les enfants sont déçus.
- Le gardien se sauve.
- Un oiseau s'envole.

Entoure le nombre de bonnes réponses.  0 à 1  2 à 3  4 à 5

Reporte tes résultats dans la grille de suivi.

27 Le labyrinthe des phrases

☆ **Relie les mots du labyrinthe pour former une phrase correspondant au dessin.**
Le point t'indique quel est le dernier mot de la phrase.

Caroline ↓	devant	télévision	animé.
et	sa	comme	dessin
son	frère	regardent	un
canapé	fait	dehors	quand

Entoure le nombre de bonnes réponses.  0  1

☆☆ **Même exercice.**

vite	pousse	↓ Morgan	porte	dans
avec	jardin.	court	après	les
couloir	le	regarde	son	chien
ma	dans	chat	petit	loin

Entoure le nombre de bonnes réponses.  0  1

☆☆☆ **Colorie les cases de la couleur indiquée pour former deux phrases.** Attention, il y a des cases intruses !

	s'assoit	pendant	la fleur.
n° 1 (bleu) Un papillon	rampe	au-dessus	les flaques.
n° 2 (jaune) Une vipère	court	pour	du rosier.
	vole	entre	son jardin.

Entoure le nombre de bonnes réponses.  0  1  2

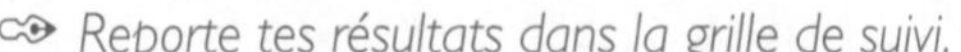
Reporte tes résultats dans la grille de suivi.

28 Tout commence et finit bien !

★ **Entoure le mot en bleu qui convient pour compléter la phrase.**
Fais bien attention au sens de la phrase !

L'éléphant remue ses < oreilles. / nageoires.

Le chat s'enfuit d'un < coup d'aile. / bond.

Le cheval s'éloigne < à pied. / au galop.

La fourmi transporte une < miette. / rivière.

Entoure le nombre de bonnes réponses.

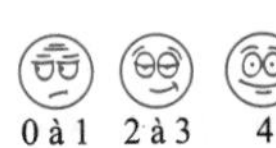

★★ **Même exercice.**

Les étoiles / Les bijoux > brillent dans le ciel.

L'herbe / La mer > est bien calme aujourd'hui !

L'oiseau / Le vent > sautille dans le cerisier.

La branche / La pluie > est tombée toute la nuit.

Entoure le nombre de bonnes réponses.

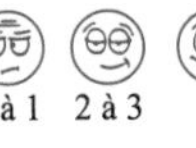

Relie chaque début de phrase à la fin qui convient.

L'escargot •	• ébouriffe ses plumes.
Le moineau •	• remue ses longues oreilles.
La truite •	• tisse sa toile.
Le lapin •	• se cache au fond de l'eau.
L'araignée •	• glisse sur la feuille.

Entoure le nombre de bonnes réponses.

Reporte tes résultats dans la grille de suivi.

29 Les remplaçants

★ **Coche tous les mots de la liste qui peuvent remplacer le mot en bleu dans la phrase.** Attention au dessin !

Rémi a un nouveau vélo.

- ☐ Ce garçon
- ☐ La fille
- ☐ Il
- ☐ Leur cousin
- ☐ Son frère
- ☐ Mon copain
- ☐ L'ogre
- ☐ La bicyclette

Entoure le nombre de bonnes réponses.  0 à 1  2 à 3  4 à 5

★★ **Même exercice.**

Une dame achète un livre.

- ☐ Elle
- ☐ Cette maman
- ☐ La dame aux cheveux longs
- ☐ Une femme brune
- ☐ Celle qui porte des lunettes
- ☐ La libraire
- ☐ La fille de Sarah
- ☐ La mère de Sarah

Entoure le nombre de bonnes réponses.  0 à 1  2 à 3  4

 **Relie les phrases aux bons dessins.** Aide-toi des mots soulignés.

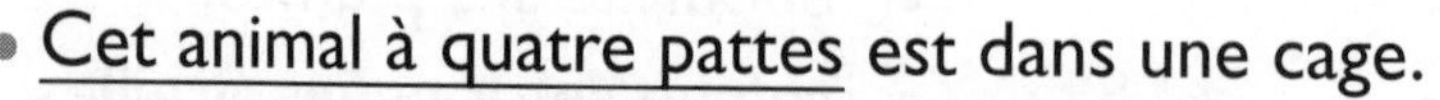

- Cet animal à quatre pattes est dans une cage.

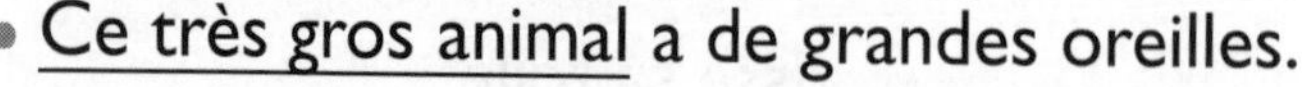

- Ce très gros animal a de grandes oreilles.

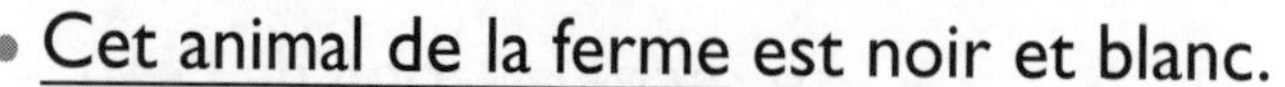

- Cet animal de la ferme est noir et blanc.

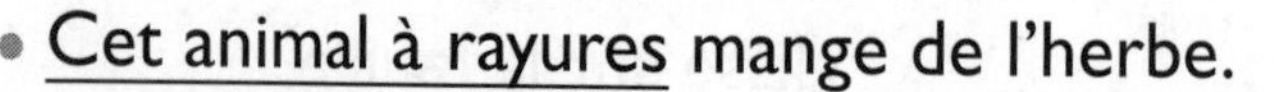

- Cet animal à rayures mange de l'herbe.
- Cet animal au bec crochu est très bruyant.

Entoure le nombre de bonnes réponses.  0 à 1  2 à 3  4 à 5

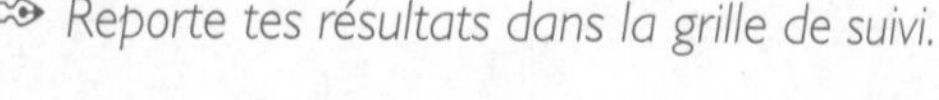

Reporte tes résultats dans la grille de suivi.

30 Le même sens

★ **Souligne dans chaque colonne les deux phrases qui ont le même sens.**

Ted n'a pas d'argent.	Cléa travaille peu.	Paola court vite.
Ted est pauvre.	Cléa travaille beaucoup.	Paola court lentement.
Ted est riche.	Cléa ne travaille presque pas.	Paola ne court pas vite.

Entoure le nombre de bonnes réponses.   0 1 à 2 3

★★ **Même exercice.**

Max n'a rien mangé.	Léo est toujours sage.	Rémi veut encore dormir.
Max a tout mangé.	Léo n'est jamais sage.	Rémi ne veut plus dormir.
Max n'a pas mangé.	Léo n'obéit jamais.	Rémi veut se lever.

Lise n'est toujours pas partie.	Tu ne veux plus jouer ?
Lise est déjà partie.	Tu veux arrêter de jouer ?
Lise est encore là.	Tu veux venir jouer ?

Entoure le nombre de bonnes réponses.    0 à 1 2 à 3 4 à 5

 **Relie par deux les phrases qui ont le même sens.**
Attention, il y a un intrus !

Ce n'est pas beau ! •	• Ce n'est pas vrai !
C'est faux ! •	• C'est compliqué !
C'est fatigant ! •	• C'est laid !
Ce n'est pas facile ! •	• Ça continue !
C'est fini ! •	• C'est terminé !
	• Ce n'est pas reposant !

Entoure le nombre de bonnes réponses.    0 à 1 2 à 3 4 à 5

Reporte tes résultats dans la grille de suivi.

31 Suis la consigne !

★ Complète le dessin en suivant les consignes.

- Colorie en bleu le pull de la fille.
- Dessine les lunettes du garçon.
- Dessine le soleil et deux nuages.
- Écris le mot STOP sur le panneau.

Entoure le nombre de bonnes réponses.   0 à 1 2 à 3 4

★★ Barre les consignes qui n'ont pas été respectées sur le dessin.

- Décore le ballon avec des étoiles.
- Dessine le cartable du garçon à lunettes.
- Dessine un troisième arbre.
- Complète le nom de l'école.
- Ajoute une fenêtre et la porte.
- Termine le dessin du banc.

Entoure le nombre de bonnes réponses.    0 1 à 2 3

 **Écris le numéro qui convient pour chaque consigne.**
Aide-toi du dessin. Attention, il y a deux consignes de trop !

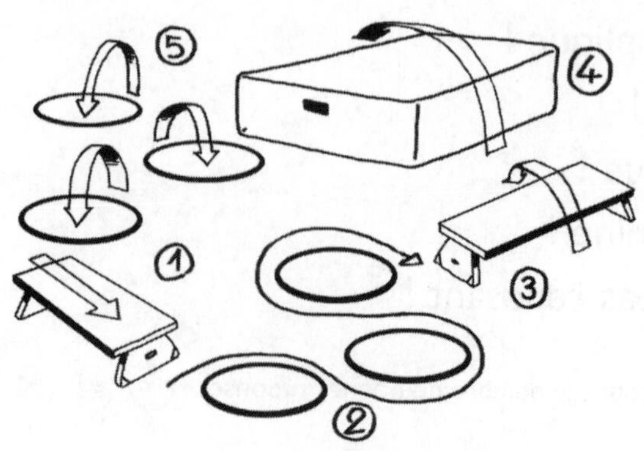

n°... Saute par-dessus le banc.
n°... Passe sous le matelas.
n°... Saute dans les cerceaux.
n°... Marche en équilibre sur le banc.
n°... Range le banc.
n°... Passe par-dessus le matelas.
n°... Rampe entre les cerceaux.

Entoure le nombre de bonnes réponses.    0 à 1 2 à 3 4 à 5

Reporte tes résultats dans la grille de suivi.

32 La phrase et le dessin (2)

★ **Barre la phrase qui ne correspond pas au dessin.**

Léa passe sur le pont.
Léa passe sous le pont.

Léo attend devant la piscine.
Léo attend dans la piscine.

Diane court dans le parc.
Diane court vers le parc.

Entoure le nombre de bonnes réponses.   
0 1 à 2 3

★★ **Coche les phrases qui correspondent au dessin.**

- ☐ Malo verse la farine et le sel en même temps.
- ☐ Malo verse ensemble la farine et le sel.
- ☐ Zoé dessine l'œil avant de coller les moustaches.
- ☐ Zoé dessine l'œil après avoir collé les moustaches.
- ☐ Max coupe la pomme quand elle est épluchée.
- ☐ Max coupe la pomme sans l'éplucher.

Entoure le nombre de bonnes réponses.  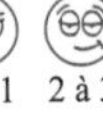 
0 à 1 2 à 3 4

★★★ **Lis les phrases puis relie chaque prénom à l'enfant qui convient sur le dessin.**

Marc est installé entre son père et sa mère. Marie console un petit parce qu'il a peur. Paul s'est levé pour applaudir le spectacle. Luc ne veut plus regarder le spectacle, il se dirige vers la sortie.

Marc •
Marie •

• Paul
• Luc

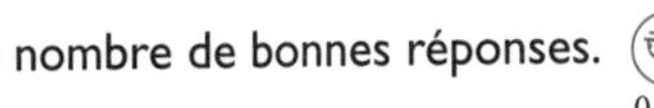
Entoure le nombre de bonnes réponses.   
0 à 1 2 à 3 4

Reporte tes résultats dans la grille de suivi.

33 L'ordre des étiquettes

☆ **Relie les étiquettes par trois pour former une phrase correspondant à chaque dessin.**

• Le chien	court	sur le balcon.
• La fleur	roule	sur la route.
• Le vélo	pousse	dans les champs.

Entoure le nombre de bonnes réponses.  0 1 à 2 3

☆☆ **Relie les étiquettes pour former trois phrases correspondant au dessin.**

• Un grand garçon	lit	leur livre	avec une amie.
• Une petite fille	donnent	un énorme livre	sur l'étagère.
• Deux enfants	prend	un petit livre	à une dame.

Entoure le nombre de bonnes réponses.    0 1 à 2 3

★★ **Même exercice.** Attention, il y a une étiquette de trop dans chaque colonne !

◆ Une vieille dame	a perdu	un banc	avec un enfant.
◆ Un garçon	porte	la rue	à cause du vent.
◆ Une maman	traverse	son chien	pour son bébé.
◆ Un monsieur	poursuit	son chapeau	sur le trottoir.

Entoure le nombre de bonnes réponses. 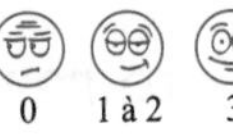
0 1 à 2 3

★★★ **Numérote chaque série d'étiquettes de 1 à 5 pour former une phrase.** Aide-toi du dessin. Attention à la majuscule et au point !

◆ lave ☐ | du zoo. ☐ | Aujourd'hui, ☐ | le gardien ☐ | l'éléphant ☐

◆ ont enfermé ☐ | Pendant ce temps, ☐ | dans la cage. ☐ | les singes ☐ | les visiteurs ☐

Entoure le nombre de bonnes réponses. 
0 1 2

Reporte tes résultats dans la grille de suivi.

34 Où es-tu ? Que fais-tu ?

★ **Écris dans la bulle le numéro de la phrase qui convient.**

1. « Vous venez ? Moi je sors ! »
2. « Oui, j'écris la date et j'arrive ! »
3. « Je n'arrive pas à l'attraper… »
4. « Je range tout avant de sortir. »

Entoure le nombre de bonnes réponses.   
0 à 1 — 2 à 3 — 4

★★ **Même exercice.**
Attention, il y a une bulle de trop !

1. « Je grimpe, tu viens avec moi ? »
2. « La vue est géniale là-haut ! »
3. « Non, je n'ai pas envie, je préfère te regarder monter. »
4. « Soyez prudents les enfants ! »

Entoure le nombre de bonnes réponses.   
0 à 1 — 2 à 3 — 4

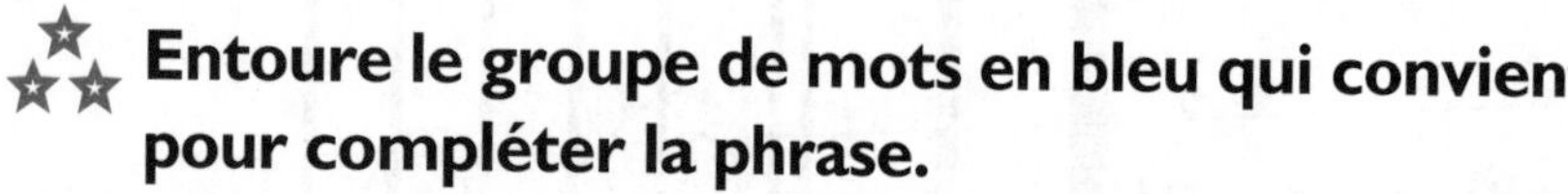

★★★ **Entoure le groupe de mots en bleu qui convient pour compléter la phrase.**

- « Puisque vous avez aimé ce film sur les animaux d'Afrique, je vais vous emmener en voir » dit la maitresse à ses élèves.
  Les élèves vont aller chez un vétérinaire / dans une ferme / au zoo.
- « Nous avons roulé pendant deux heures, il faisait chaud sur la route et, à l'arrivée, j'avais mal aux mollets ! » dit Mourad.
  Mourad a voyagé en train / à vélo / en voiture.
- « Oh, il pleut ! Quel dommage ! Nous allons devoir annuler le spectacle de fin d'année » dit le maitre.
  Le spectacle devait avoir lieu dans la salle des fêtes / dans le gymnase de l'école / sur la place du village.

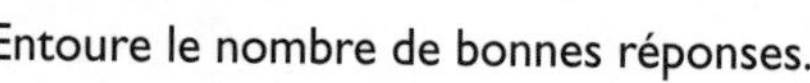
Entoure le nombre de bonnes réponses.   
0 — 1 à 2 — 3

Reporte tes résultats dans la grille de suivi.

Qui parle ?

★ **Lis chaque phrase puis coche le nom de celui qui parle.**

	Le docteur	Le boulanger	Le chanteur
Combien voulez-vous de baguettes ?			
Ouvrez grand la bouche !			
Nous n'avons plus de brioches !			
Tu as de la fièvre ?			
Le micro ne marche pas.			

Entoure le nombre de bonnes réponses.  
0 à 1 2 à 3 4 à 5

★★ **Même exercice.**
Attention, il peut y avoir plusieurs réponses pour la même phrase !

	Le maitre	L'élève	Le père de l'élève
J'ai fait des progrès en lecture !			
C'est l'heure de sortir en récréation !			
Dépêche-toi de partir à l'école !			
Tu diras à ton papa de venir me voir.			
Je viendrai te chercher à l'école en voiture.			
On est en vacances la semaine prochaine !			

Entoure le nombre de bonnes réponses.   
0 à 3 4 à 6 7 à 9

 **Relie les trois parties de chaque phrase, comme dans l'exemple.**

Ne marchez pas sur la pelouse, •	• dit le maitre nageur •	• au client.
Mets ton bonnet de bain, •	• dit le gardien •	• au baigneur.
C'est 4 euros le kilo, •	• dit le policier •	• au promeneur.
Mon clignotant ne marche plus, •	• dit le vendeur •	• au garagiste.
Vous roulez trop vite, •	• dit le conducteur •	• au chauffeur.

Entoure le nombre de bonnes réponses.   
0 à 1 2 à 3 4

Reporte tes résultats dans la grille de suivi.

36 Question et réponse

☆ **Relie chaque question à sa réponse.**

Tu as faim ? •	• Oui, j'ai du chagrin.
Tu es triste ? •	• Non merci, j'ai déjà mangé.
Tu as encore mal ? •	• Oui, tout est clair !
Tu veux partir ? •	• Non, je ne sens plus rien.
Tu as bien compris ? •	• Non, je reste encore un peu.

Entoure le nombre de bonnes réponses.   
0 à 1 2 à 3 4 à 5

☆☆ **Même exercice.**

Où est rangé le dictionnaire ? •	• Juste après la récréation.
Quand part-on à la bibliothèque ? •	• C'est Nicolas mais il ne l'a pas fini.
Qui a emprunté ce roman ? •	• Malo l'a posé sur le bureau.
Comment irons-nous à la bibliothèque ? •	• Personne, il n'y aura pas d'autre classe.
Avec qui partirons-nous ? •	• On prendra le bus.

Entoure le nombre de bonnes réponses.  
0 à 1 2 à 3 4 à 5

☆☆☆ **Écris le numéro de la question à laquelle répond chaque enfant.** Attention, il y a une question de trop !

Question n° 1 : Que fais-tu pour économiser l'électricité chez toi ?
Question n° 2 : À quoi dois-tu penser quand tu te laves les dents ?
Question n° 3 : Pourquoi faut-il trier ses déchets ?
Question n° 4 : Quel conseil donnerais-tu à tes amis pour économiser de l'eau ?

	Question
 « Je ne dois pas oublier de couper l'eau du robinet pendant le brossage. »	n° …
 « Je pense à éteindre la lumière quand je quitte une pièce. »	n° …
 « Utilisez l'eau de lavage de la salade pour arroser vos plantes ! »	n° …

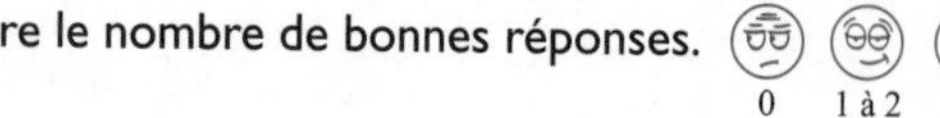
Entoure le nombre de bonnes réponses.  
0 1 à 2 3

Reporte tes résultats dans la grille de suivi.

37 Les devinettes

☆ Coche la réponse qui convient pour chaque devinette.

- Je me déplace en faisant des bonds et c'est à la ferme qu'on me rencontre le plus souvent ! Qui suis-je ?

☐ le kangourou ☐ l'escargot ☐ le lapin

- Mon corps est de forme allongée, j'ai deux yeux, pas de pattes, et je vis dans l'eau. Qui suis-je ?

☐ le moustique ☐ le poisson ☐ le lézard

- Je suis de couleur grise, très gros, mais je n'ai pas de trompe. Qui suis-je ?

☐ le papillon ☐ l'éléphant ☐ l'hippopotame

Entoure le nombre de bonnes réponses. 0 1 à 2 3

☆☆ Même exercice.

- Je me jette sur ma proie et je la tue d'un coup de crocs. Qui suis-je ?

☐ Un tigre qui joue. ☐ Un tigre qui attaque un autre animal.
☐ Un tigre qui fait un numéro de cirque.

- Avec mon bec, j'attrape au vol des insectes que je rapporte à mes petits, blottis au creux du nid. Qui suis-je ?

☐ Un chat qui nourrit ses petits. ☐ Un oiseau qui se nourrit.
☐ Un oiseau qui nourrit ses petits.

- D'un bond, fuyant le danger, je disparais dans les herbes hautes. Qui suis-je ?

☐ Un renard qui se sauve. ☐ Un serpent qui s'approche.
☐ Un chien qui se promène dans la rue.

Entoure le nombre de bonnes réponses. 0 1 à 2 3

☆☆☆ Relie chaque devinette à sa réponse.

J'ai deux jambes mais je ne marche pas. Qui suis-je ? •	• le vent
Je n'ai pas de mains mais je peux claquer la porte. Qui suis-je ? •	• le pantalon
Je raconte des histoires mais je ne parle pas. Qui suis-je ? •	• le rayon de soleil
Je peux traverser une vitre sans la casser. Qui suis-je ? •	• le livre

Entoure le nombre de bonnes réponses. 0 à 1 2 à 3 4

Reporte tes résultats dans la grille de suivi.

38 La description

☆ **Entoure le dessin qui correspond à la description.**

- L'oncle de Samia a les cheveux longs et un chapeau sur la tête. Il porte une moustache mais pas de lunettes.

- Le voisin de Grégoire est vraiment très grand ! À cause de sa longue barbe et de ses cheveux ébouriffés, il ressemble un peu à un ogre. Grégoire trouve qu'il n'a pas l'air gentil car il ne sourit jamais.

- Lucas s'est déguisé en clown avec un nez rouge et un pantalon à bretelles. Il a mis une veste à carreaux et des chaussures beaucoup trop longues. Il a vraiment une drôle de tête avec sa grosse perruque !

Entoure le nombre de bonnes réponses.

☆☆ **Écris le numéro du dessin p. 49 qui correspond à chaque information.**

- Mylène habite dans un très grand immeuble mais on reconnait facilement son appartement : c'est le seul avec un balcon fleuri. Dessin n°…

- L'appartement de Ben est au 4ᵉ étage et ses fenêtres donnent sur le parc. Dessin n°…

- Lola vit dans un vieil immeuble de trois étages, au fond d'une cour où elle range son vélo. Dessin n°…
- Pour entrer chez Samuel, il faut pousser la grille et monter trois marches avant d'ouvrir la porte d'entrée. Dessin n°…

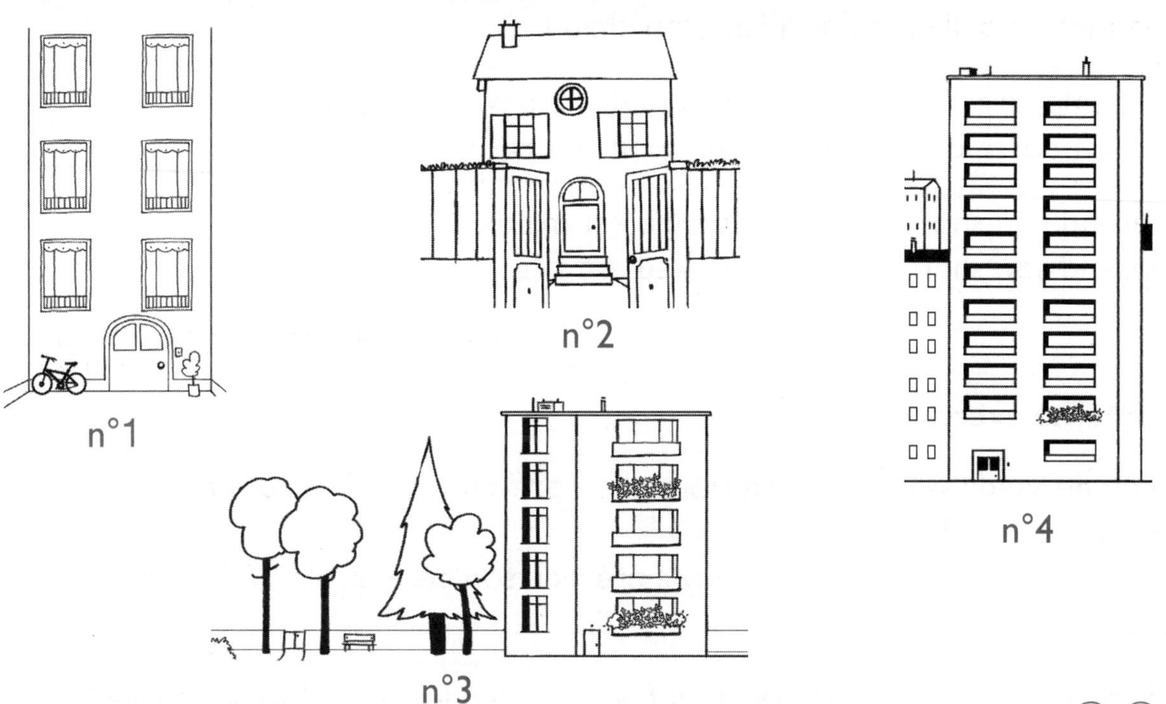

Entoure le nombre de bonnes réponses. 0 à 1 2 à 3 4

Recopie le nom de l'animal sous le bon dessin.
Aide-toi de sa description.

Le pangolin

Il a une tête étroite et un corps recouvert d'écailles. Il sort surtout la nuit et préfère rester à l'abri dans les arbres le jour. Il possède une longue queue qu'il utilise pour grimper dans les branches. Ses quatre courtes pattes se terminent par cinq doigts griffus.

....

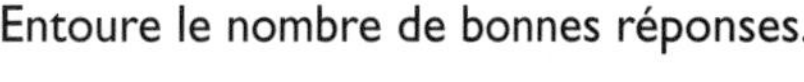

0

1

Reporte tes résultats dans la grille de suivi.

39 La phrase impossible

☆ **Barre dans chaque série la phrase qui n'a pas de sens.**

Olivia met un pull parce qu'il fait un peu frais.
Olivia met un pull parce qu'il fait trop chaud.

Simon emporte une bouteille d'eau pour ne pas avoir peur.
Simon emporte une bouteille d'eau pour ne pas avoir soif.

Ted prend son short rouge car le bleu est mieux.
Ted prend son short rouge car le bleu est sale.

Entoure le nombre de bonnes réponses.   
0 1 à 2 3

☆☆ **Même exercice.**

Le train de Sandy avait du retard alors, elle a prévenu son père qu'elle n'arriverait pas à l'heure.
Son train avait du retard, alors Sandy a prévenu son père qu'elle arriverait plus tôt.

Sur le bateau, tout s'est bien passé sauf pour Corentin qui a adoré le voyage !
Le voyage en bateau s'est bien passé pour tous, sauf pour Corentin qui a été malade.

Coline a eu mal au cœur dans le bus à cause du chauffeur qui parlait trop fort.
Coline ne s'est pas sentie bien dans le bus à cause des nombreux virages sur la route.

Entoure le nombre de bonnes réponses.  
0 1 à 2 3

 **Lis chaque conseil et entoure la bonne réponse.**

C'est un bon conseil. ☺ *C'est un conseil stupide.* ☹

- Il faut toujours bien courir avant de traverser la rue. ☺ ☹
- Il ne faut jamais jouer avec des médicaments car c'est dangereux. ☺ ☹
- Brosse tes dents trois fois par jour pour devenir grand et fort ! ☺ ☹
- Ne jette rien dans la rue, utilise des poubelles ! ☺ ☹
- Avant de prendre ton vélo, vérifie que les freins sont bien gonflés. ☺ ☹

Entoure le nombre de bonnes réponses.   
0 à 1 2 à 3 4 à 5

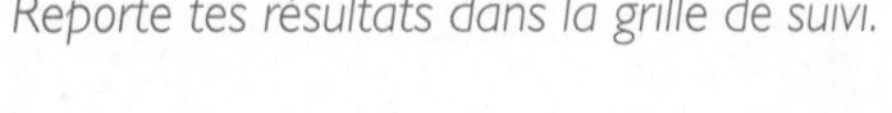
Reporte tes résultats dans la grille de suivi.

Bien lire les histoires

Objectif 1 *Je repère les informations principales d'une histoire.*

Objectif 2 *Je comprends le sens d'une histoire.*

Coche le livre qui raconte la même histoire que celui du maitre.
Aide-toi des dessins des trois livres.

40 Une histoire, des images

☆ Coche le dessin qui correspond à l'histoire.

Avec des clous et des planches, Martin a construit une cabane dans un arbre. Pendant la nuit, le vent a soufflé très fort. Le lendemain matin, Martin découvre sa cabane détruite. Quelle tristesse !

Entoure le nombre de bonnes réponses.  0  1

☆☆ Même exercice.

Tout était prêt pour Carnaval, Sonia avait posé son costume de fée sur une chaise. Mais elle a oublié de fermer la fenêtre et un orage a éclaté. Maintenant, sa robe est trempée, sa baguette magique est devenue molle comme du chewing-gum, son chapeau s'est envolé et elle ne peut plus le rattraper.

Entoure le nombre de bonnes réponses.  0  1

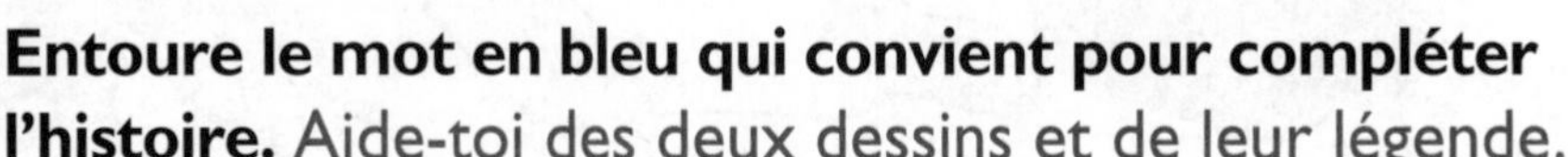

☆☆☆ Entoure le mot en bleu qui convient pour compléter l'histoire. Aide-toi des deux dessins et de leur légende.

Le prince avant le combat

Prince Étourneau est un drôle d'étourdi !
Il a perdu deux fleurs / plumes
de son chapeau, mais il ne sait plus où.
Son épée est tordue / cassée mais il ne sait
plus pourquoi. Il a sali / déchiré son pantalon,
mais il ne sait plus comment.
Par contre, Prince Étourneau est courageux !
Il a combattu un dragon / lion et il a réussi
à le tuer avec son épaule / épée tordue.
Dans le combat, il a perdu deux dents,
il s'est griffé la joue / main et il a déchiré
le bas de son gilet / pantalon fleuri !

Le prince après le combat

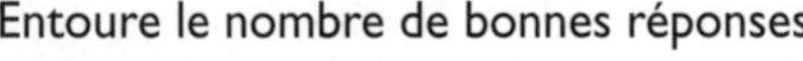

Entoure le nombre de bonnes réponses.  0 à 2  3 à 5   6 à 7

Reporte tes résultats dans la grille de suivi.

41 Qui est là ?

★ **Lis le texte puis relie chaque personnage du dessin à son prénom.**

Les filles du CE1 ont participé à la course de l'école. C'est Seda qui a gagné. Kim est arrivée juste après elle. Elle était fière parce qu'elle a battu Lou, la plus grande de la classe : Lou a de grandes jambes, mais Kim court plus vite qu'elle !
Élise, la cousine de Seda, est venue les applaudir.

Seda Kim Élise Lou

Entoure le nombre de bonnes réponses.   
0 à 1 2 à 3 4

★★ **Même exercice.**

Marc a photographié ses copains. Sur la photo, Raphaël crâne un peu, avec sa médaille. Il s'est placé entre Lola et Inès. Lola fait la tête car, derrière elle, Manu se moque de son bonnet. On reconnait mal Mona, elle a tourné la tête au moment de la photo !

Inès Manu

Mona Lola Raphaël

Entoure le nombre de bonnes réponses.   
0 à 1 2 à 3 4 à 5

 **Lis le texte puis entoure les prénoms en bleu qui conviennent.**

Pour son anniversaire, Pierre avait invité Akim ; hélas, il avait la grippe et il a dû rester au lit ! Margot, par contre, n'était pas invitée, mais elle est venue quand même. Elle a dit : « Puisqu'Aglaë vient, je viens aussi ! » Pierre a trouvé qu'elle exagérait ! Léo n'était pas là, il était puni. Kilian aurait mieux fait de ne pas venir : il a boudé pendant le gouter car il n'était pas assis à côté de Pierre ! Fanny a fait le clown et ils ont beaucoup ri.

À l'anniversaire de Pierre, il y avait : Margot – Léo – Aglaë – Fanny – Kilian – Akim

Entoure le nombre de bonnes réponses.   
0 à 1 2 à 3 4

Reporte tes résultats dans la grille de suivi.

42 Qui et quoi ?

☆ **Lis le texte puis entoure le mot en bleu qui convient pour remplacer « elle » dans chaque phrase.** Aide-toi du dessin.

	« Ma fille jouait avec sa balle.	
ma fille / la balle	Mais **elle** a tapé trop fort dedans et **elle** est passée par-dessus la haie.	la balle / ma fille
ma fille	En rebondissant, **elle** a cogné contre la vitre de votre salon.	la balle
la balle	Voilà pourquoi **elle** est cassée !	la vitre
Ma fille	**Elle** est vraiment désolée ! »	La voisine

Entoure le nombre de bonnes réponses.  0 à 1 2 à 3 4 à 5

☆☆ **Lis l'histoire puis entoure le mot en bleu qui peut remplacer le mot souligné.**

Le bâton

le chien / Pablo	Pablo joue avec son chien : <u>il</u> lance un bâton
Flip / Pablo	et Flip le rapporte aussitôt. À chaque fois, <u>son maitre</u>
le bâton / le chien	<u>le</u> jette un peu plus loin…
	Mais il est bientôt l'heure de rentrer à la maison : une dernière fois, le garçon lance le bâton
Flip / Pablo	de toutes ses forces. <u>Il</u> attend.
Flip / Pablo	<u>Son compagnon</u> ne revient pas.
Flip / Pablo	Cette fois, ce n'est pas <u>lui</u> qui rapporte le bâton.
le monsieur / Pablo	C'est un monsieur fâché. Et <u>il</u> a une grosse bosse sur le front !

Entoure le nombre de bonnes réponses. 0 à 2 3 à 5 6 à 7

☆☆☆ **Relis *Le bâton* puis relie chaque début de phrase à la fin qui convient.** Aide-toi du mot en bleu.

– Je l'ai lancé un peu trop fort, cette fois, •	• se dit Pablo, en parlant du monsieur.
– Il l'a rattrapé avant moi, •	• se dit Pablo, en parlant du bâton.
– J'espère que je ne lui ai pas fait trop mal, •	• dit le monsieur, en parlant du bâton.
– Qui l'a lancé si fort ? •	• se dit Flip, en parlant du monsieur.

Entoure le nombre de bonnes réponses.    0 à 1 2 à 3 4

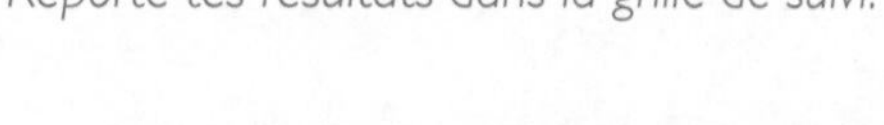

Reporte tes résultats dans la grille de suivi.

43 Des détails importants !

La chasse au trésor (1)

C'est l'anniversaire de Flora, la petite sœur de Marine.

J'ai décidé d'organiser une chasse au trésor pour l'anniversaire de Flora.
Pour faire le trésor, j'ai mis dans une boite de bonbons vide :
- une bille en verre, parce que Flora est championne de billes à la récré,
- une sucette à la cerise et un cœur en chocolat car elle est gourmande,
- une bague avec une étoile bleue, parce qu'elle adore cette couleur,
- une gomme en forme d'ours, pour sa collection d'ours,
- une barrette, pour remplacer celle que je lui ai cassée,
- une pièce d'un euro pour sa tirelire. *(à suivre…)*

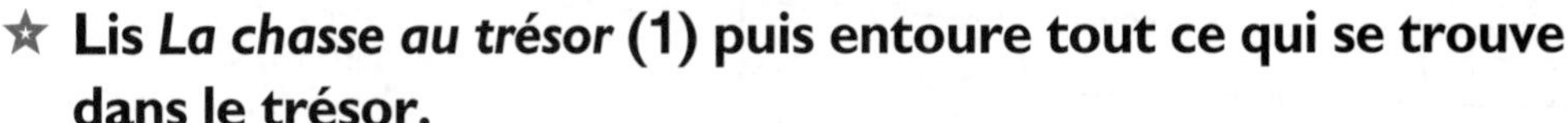

☆ **Lis *La chasse au trésor* (1) puis entoure tout ce qui se trouve dans le trésor.**

Entoure le nombre de bonnes réponses.   
0 à 2 3 à 5 6 à 7

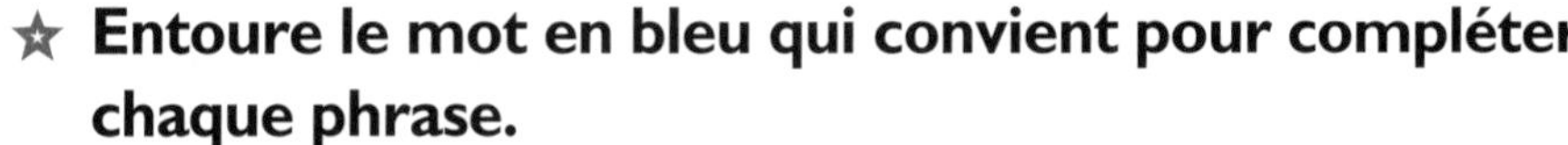

☆ **Entoure le mot en bleu qui convient pour compléter chaque phrase.**

- Flora collectionne les billes / les ours.
- Marine a cassé la barrette / la bille de Flora.
- La sucette est au chocolat / à la cerise.
- La tirelire / La boite de bonbons était vide.
- Marine / Flora est la plus jeune des deux sœurs.
- C'est Marine / Flora qui fête son anniversaire.

Entoure le nombre de bonnes réponses.   
0 à 2 3 à 4 5 à 6

Objectif 1 : Je repère les informations principales d'une histoire.

La chasse au trésor (2)

Je sais où je vais cacher le trésor : sur le balcon de l'appartement, il y a un meuble à chaussures. La cachette sera le chausson à carreaux gauche de Papa. Et je sais aussi quel chemin je vais faire suivre à Flora pour le trouver : elle partira de sa chambre où elle rampera sous son lit. Puis elle ira dans la cuisine où elle fera le tour de la table. Elle passera ensuite par-dessus le canapé, puis derrière le bureau de Maman, dans le salon, avant d'aller sur le balcon. Je lui dessinerai une carte ; dans mon livre sur les pirates, j'ai des modèles. Quand elle trouvera le trésor, je suis sure qu'elle dira : « Oooh ! Marine, j't'adore ! » C'est toujours ce qu'elle dit quand je lui fais une surprise.

☆☆ **Lis *La chasse au trésor* (2) puis trace le chemin pour aller jusqu'au trésor.**

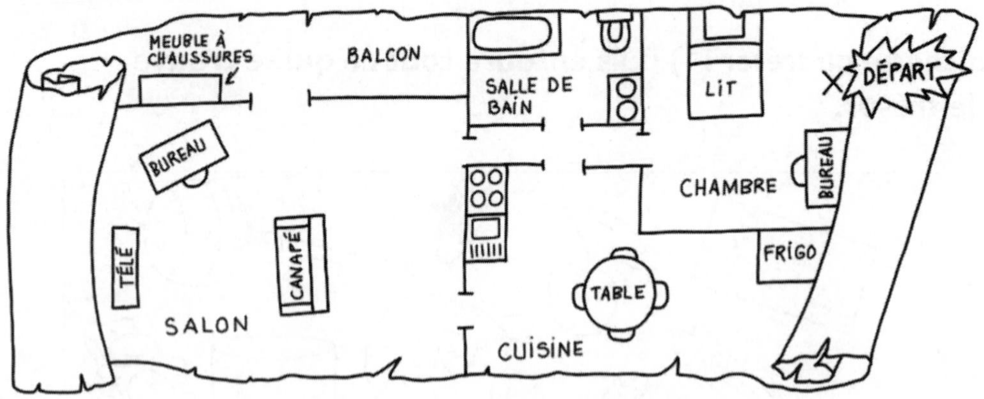

Entoure le nombre de bonnes réponses.  
0 à 1 — 2 à 3 — 4 à 5

☆☆ **Relis *La chasse au trésor* (1 et 2) puis relie chaque question à la bonne réponse.**

Qui prépare une surprise ? •	• C'est Flora. •	• Qui a des chaussons à carreaux ?
Qui est gourmande ? •	• C'est Marine. •	• Qui joue très bien aux billes ?
Qui a un livre sur les pirates ? •	• C'est Maman. •	• Qui a un bureau dans le salon ?
	• C'est Papa. •	

Entoure le nombre de bonnes réponses.   
0 à 2 — 3 à 4 — 5 à 6

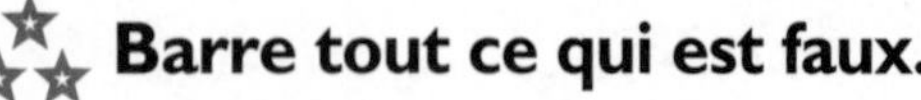

☆☆☆ **Barre tout ce qui est faux.**

En lisant l'histoire… on découvre l'âge de Flora – on connait sa couleur préférée – on sait qu'elle vit dans un appartement – on sait qui elle va inviter à son anniversaire – on sait ce qu'elle va acheter avec la pièce d'un euro.

Entoure le nombre de bonnes réponses.   
0 — 1 à 2 — 3

Reporte tes résultats dans la grille de suivi.

44 Au bon endroit

L'ennemie de Mini (1)

À l'école, Mini a beaucoup d'amies et d'amis. Sa meilleure amie s'appelle Chloé.
Dans la classe, elles sont installées l'une à côté de l'autre.
Mais elle a aussi une ennemie, Cornélia, qui est assise juste devant elle.
Cornélia est vraiment mauvaise et Mini ne sait pas pourquoi. Elle ne lui a jamais rien fait.
Cornélia est assise à côté de Vincent. Quand Mini répond particulièrement bien et que la maitresse la félicite, Cornélia ne manque pas de chuchoter à Vincent :
« Elle a tout appris par cœur pour se faire remarquer. »
Mais si jamais Mini ne sait pas répondre à une question de la maitresse, alors Cornélia s'empresse de glisser à l'oreille de Vincent : « Qu'elle est bête ! Elle ne sait même pas les choses les plus faciles ! »
Au gymnase, quand Mini gagne à la course, Cornélia dit aux autres enfants :
« Ce n'est pas étonnant, avec ses deux grandes cannes, elle est avantagée. »
À la sortie de l'école, quand il y a du vent, Cornélia lui crie :
« Fais attention de ne pas t'envoler, avec tes jambes en fil de fer !!! »
Et cela attriste beaucoup Mini. *(à suivre…)*

★ **Lis *L'ennemie de Mini* (1) puis relie chaque enfant à sa place dans la classe, comme dans l'exemple.** Aide-toi des lignes 1 à 6 du texte.

Entoure le nombre de bonnes réponses. 0 1 à 2 3

★★ **Entoure tous les endroits où se passe l'histoire.**

dans la classe – à la maison – au gymnase – à la cantine – au supermarché – dehors

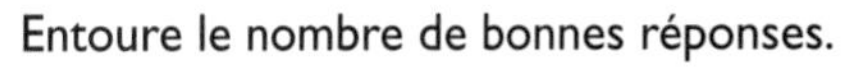

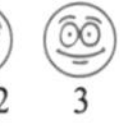

L'ennemie de Mini (2)

Quelquefois, quand elle rentre chez elle, Mini se met à pleurer à cause de Cornélia. [...] Son papa et sa maman lui conseillent : « Tu pourrais peut-être essayer d'être très gentille avec elle ! Quand on est gentil avec eux, les gens méchants sont souvent complètement désarmés. »
Aussi Mini essaya-t-elle d'être très gentille. Mais cela ne marcha pas du tout !
Un jour, juste avant la récré, Cornélia dit à Vincent : « Zut ! J'ai oublié mon gouter à la maison ! »
Alors Mini sortit une pomme de son cartable et la posa sur le bureau de Cornélia en disant : « Tu peux la manger. Moi, je n'ai pas faim. »
Ce qui n'était pas vrai du tout, elle avait une faim de loup !
Un moment, elle a cru que la gentillesse allait l'emporter sur la méchanceté.
Cornélia en effet était restée bouche bée et avait regardé Mini avec des yeux ronds. Elle lui avait même dit : « Merci ! »
Mais une minute plus tard, elle a lancé la pomme sur le pupitre de Mini en s'écriant : « Tu peux garder tes cochonneries ! »
Parce qu'il y avait un ver dans la pomme ! Mais Mini ne pouvait pas le savoir !

Christine Nöstlinger, *Mini se déguise*, trad. Marie-Claude Auger, © La bibliothèque Rose, 2001.

☆☆ **Lis *L'ennemie de Mini* (2) puis entoure les mots en bleu qui conviennent pour compléter chaque phrase.**

- Quand Mini pleure à cause de Cornélia, elle est chez elle / à l'école.
- À l'école / À la maison, quelqu'un conseille à Mini d'être gentille avec Cornélia.
- Mini donne sa pomme à Cornélia dans la classe / dans la cour.
- Cornélia lance la pomme de Mini dans la classe / dans la cour.

Entoure le nombre de bonnes réponses. 0 à 1 — 2 à 3 — 4

☆☆☆ **Relis l'histoire en entier puis coche la bonne réponse.**

	Vrai	Faux
Mini ne sait pas pourquoi Cornélia est méchante avec elle.	☐	☐
Cornélia se moque de Mini parce qu'elle a des grandes jambes.	☐	☐
Mini a fait exprès de donner une pomme avec un ver à Cornélia.	☐	☐
Grâce au conseil de ses parents, elle s'est réconciliée avec Cornélia.	☐	☐

Entoure le nombre de bonnes réponses.  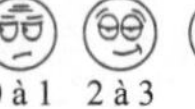  0 à 1 — 2 à 3 — 4

Reporte tes résultats dans la grille de suivi.

Dans quel ordre ?

Samed

Cartable sur le dos, Samed franchit la grille de l'école. Ouf ! la semaine est terminée ! Avant de traverser, il crie « À lundi ! » à Adèle qui attend son bus. En chemin, il s'arrête à la boulangerie pour acheter du pain après avoir longuement regardé la vitrine du marchand de jouets. Il serait bien entré dans le magasin pour voir de près les nouveaux jeux, mais le vendredi est le jour de fermeture. Et puis il a déjà bien tardé, sa mère risque de s'inquiéter ! D'un pas vif, il se dirige vers la porte de son immeuble. Il est prêt à taper le code d'entrée quand il entend Clara l'appeler :

– Eh ! Samed ! Je vais au cinéma avec mon grand frère, demain, ça te dirait de venir avec nous ?

– Oui, bien sûr, mais il faudra que j'en parle à mes parents. Je t'appellerai ce soir pour te donner ma réponse !

Après avoir tapé son code, Samed entre dans le hall, monte les quatre premières marches et fait brusquement demi-tour : il ressort en courant pour rattraper Clara.

– J'avais oublié que je gardais le chien de ma voisine, samedi ! Tant pis pour le cinéma, j'irai une autre fois !

★ **Lis *Samed* puis relis chaque phrase en bleu et coche la bonne explication.**

Avant de traverser, il crie « À lundi ! » à Adèle qui attend son bus.

☐ Il traverse puis il parle à Adèle.
☐ Il parle à Adèle en traversant.
☐ Il parle à Adèle puis il traverse.

Il s'arrête à la boulangerie pour acheter une baguette de pain après avoir longuement regardé la vitrine du marchand de jouets.

☐ Il regarde les jouets puis il achète du pain.
☐ Il regarde les jouets à la boulangerie.
☐ Il achète du pain puis il regarde les jouets.

Objectif 1 : Je repère les informations principales d'une histoire.

Il est prêt à taper le code d'entrée quand il entend Clara l'appeler.

☐ Il a déjà tapé son code quand Clara l'appelle.

☐ Il est en train de taper son code quand Clara l'appelle.

☐ Il n'a pas encore tapé son code quand Clara l'appelle.

Entoure le nombre de bonnes réponses. 0 / 1 à 2 / 3

★★ Relis les lignes 1 à 8 du texte puis numérote dans l'ordre ce que fait Samed, comme dans l'exemple.

☐ Il traverse la rue

☐ Il parle à Adèle.

1 Il sort de l'école.

☐ Il va à la boulangerie.

☐ Il regarde les jouets.

Entoure le nombre de bonnes réponses. 0 à 1 / 2 à 3 / 4

★★ Relis les lignes 10 à 22 puis numérote les phrases dans l'ordre de l'histoire.

☐ Il tape son code d'entrée.

☐ Clara lui propose d'aller au cinéma.

☐ Il entre dans le hall de son immeuble.

☐ Il dit qu'il ne peut pas aller au cinéma.

☐ Clara l'appelle.

☐ Il sort de l'immeuble en courant.

☐ Il commence à monter l'escalier.

Entoure le nombre de bonnes réponses. 0 à 2 / 3 à 5 / 6 à 7

★★★ Relis l'histoire en entier puis coche la bonne réponse dans le tableau.

	lundi	vendredi	samedi
Le magasin de jouets est fermé le…			
Samed garde le chien de sa voisine…			
Clara ira au cinéma…			
Samed reverra Adèle…			
L'histoire se passe un…			

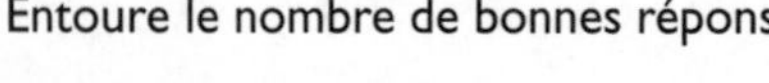
Entoure le nombre de bonnes réponses.    0 à 1 / 2 à 3 / 4 à 5

Reporte tes résultats dans la grille de suivi.

46 En bref

★ **Lis le paragraphe 1 du conte puis coche la phrase qui convient.**

❶ Il était une fois une vieille femme qui vivait seule dans une maison près de la forêt. Un soir, elle entendit des petits coups frappés à sa fenêtre. Elle ouvrit et aperçut un minuscule rouge-gorge tremblant de froid. « Je n'ai rien à te donner ! Laisse-moi tranquille ! » cria-t-elle. Aussitôt, deux plumes poussèrent au bout du nez de la vieille. Ce qu'elle ne savait pas, c'est que ce rouge-gorge était magique ! Elle voulut le rappeler mais trop tard ! Il avait déjà disparu !

☐ C'est l'histoire d'un oiseau qui embête tout le temps une vieille femme.

☐ C'est l'histoire d'une méchante femme qui est punie car elle a refusé d'aider un oiseau.

☐ C'est l'histoire d'une vieille qui frappe à la fenêtre et vole des plumes.

Entoure le nombre de bonnes réponses. 0 1

★★ **Lis le paragraphe 2 du conte puis coche la phrase qui convient.**

❷ Le petit rouge-gorge arriva bientôt près d'une chaumière au fond des bois. Elle appartenait à un homme très vieux et très pauvre. L'oiseau frappa au carreau. L'homme, content d'avoir de la visite, lui ouvrit. « Laisse-moi faire mon nid sous ton toit et je te promets que tu ne manqueras plus de rien ! dit l'oiseau.
– Installe-toi où tu veux, répondit le vieux. Cette maison est la tienne. »
Aussitôt, l'oiseau bâtit son nid. Il l'avait à peine terminé qu'un délicieux diner apparut comme par magie sur la table du vieil homme.

☐ C'est l'histoire d'un pauvre vieux qui vit dans la chaumière d'un oiseau au fond des bois.

☐ C'est l'histoire d'un vieux qui sait parler aux oiseaux et leur donne à manger.

☐ C'est l'histoire d'un vieil homme pauvre ; il rencontre un oiseau magique qui lui change la vie.

Entoure le nombre de bonnes réponses. 0 1

★★★ **Relis le conte en entier puis écris le numéro du paragraphe qui convient devant chaque titre.** Attention à l'intrus !

☐ Une promesse tenue ! ☐ Un oiseau gourmand ! ☐ Une belle punition !

Entoure le nombre de bonnes réponses. 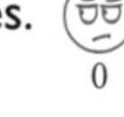   0 1 2

Reporte tes résultats dans la grille de suivi.

47 Tout s'explique !

★ **Lis l'histoire puis coche la réponse aux questions en bleu.**

Hector a trouvé un grand bâton au bord de la rivière.
Ce sera son épée de Chevalier ! David aimerait bien avoir une épée, lui aussi.
– Tu me la prêtes ? demande-t-il à Hector.
Mais son frère refuse. Alors David tire sur le bâton pour essayer de le prendre de force à Hector qui ne veut pas le lâcher.
Chacun tire de son côté quand soudain… CRAC !
Maintenant, Hector et David ont chacun une épée de Chevalier !

◆ Avec quoi Hector joue-t-il, au début de l'histoire ?

☐ Avec une épée de Chevalier en plastique.
☐ Avec une épée qu'il a trouvée au bord de la rivière.
☐ Avec un bâton, en faisant comme si c'était une épée.

◆ À ton avis, pourquoi les deux frères ont-ils chacun une épée à la fin ?

☐ David a trouvé un autre bâton.
☐ Le bâton s'est cassé en deux et ils en ont chacun la moitié.
☐ Hector a partagé son bâton en deux.

Entoure le nombre de bonnes réponses.   
0 1 2

★★ **Lis *Le problème de Tom* (1) puis coche les <u>deux</u> réponses possibles à la question.**

Le problème de Tom (1)

Tom a un problème : dès qu'il monte sur son vélo, celui-ci refuse d'avancer tout droit, les roues vont de travers et le guidon tourne tout seul. Il n'ose pas en parler à ses copains qui trouveraient cela bizarre. Alors, quand ils lui proposent d'aller faire une balade, Tom a toujours une excuse. Mais aujourd'hui, c'est décidé, il va réussir à dompter son vélo ! *(à suivre…)*

Pourquoi Tom a-t-il un problème avec son vélo ?
C'est peut-être parce que…

☐ … Tom a des copains bizarres.
☐ … le vélo de Tom a été ensorcelé.
☐ … Tom ne sait pas faire de vélo.
☐ … Tom est fâché avec ses copains.

Entoure le nombre de bonnes réponses.   
0 1 2

★★ **Lis la suite de l'histoire puis coche la bonne explication pour chaque phrase en bleu.**

Le problème de Tom (2)

Papa emmène Tom au parc pour qu'il s'entraine : il court derrière lui en tenant la selle. Hélas, au moment où il lui crie : « Attention, je te lâche ! », le vélo fait un écart et BING, cogne contre le banc. Tom regrimpe courageusement sur la selle, son père le pousse… « Attention, je te… » et re-BING ! Le vélo a foncé dans un arbre… Le garçon a envie de pleurer mais il ne se décourage pas. Le voilà qui remonte sur sa bicyclette et s'élance… Quelques zigzags plus loin, il se retrouve le nez dans la pelouse. Il ne retient plus ses larmes. Son papa arrive en courant, se penche vers lui et lui glisse à l'oreille : « Tu sais Tom, dans la vie, on n'est pas obligé d'être champion de tout. On réessayera plus tard si tu veux. Mais on peut aussi vivre très heureux sans savoir faire de vélo. » Maintenant, quand on lui propose une balade, Tom répond : « Non, merci ! Je ne sais pas encore faire de vélo et je suis très heureux comme ça. »

◆ *Le vélo fait un écart et BING, cogne contre le banc.*

☐ Papa pousse le vélo trop fort. ☐ Tom roule de travers et cogne contre un banc.

◆ *« Attention, je te… » et re-BING !*

☐ Tom se cogne avant que son père ait terminé sa phrase.

☐ Le père de Tom ne sait plus ce qu'il veut dire.

◆ *Quelques zigzags plus loin, il se retrouve le nez dans la pelouse.*

☐ Tom s'amuse à faire des zigzags sur la pelouse.

☐ Tom a roulé en zigzag puis il est tombé sur la pelouse.

Entoure le nombre de bonnes réponses. 
0 1 à 2 3

 **Relis *Le problème de Tom* (1 et 2) puis entoure le bon résumé. Barre les phrases qui ne conviennent pas dans l'autre résumé.**

Résumé 1 : Tom apprend à faire du vélo mais il n'y arrive pas. Son père lui explique qu'on peut être heureux même si on ne sait pas faire de vélo. Depuis, il n'a plus honte de dire pourquoi il ne veut pas faire de balades.

Résumé 2 : Chaque fois qu'il monte sur sa bicyclette ensorcelée, Tom tombe. Son père lui a expliqué qu'un jour il serait champion de tout, même de vélo. Depuis, Tom n'a plus honte de dire qu'il ne sait pas faire de vélo.

Entoure le nombre de bonnes réponses.   
0 1 à 2 3

Reporte tes résultats dans la grille de suivi.

48 C'est clair ?

La vengeance des sorcières

Hugo rentre chez lui après l'école. Hop ! Il jette son cartable sur le tapis du salon. Il saute sur le canapé, attrape la télécommande et appuie sur un bouton. Super ! son dessin animé préféré : *La vengeance des sorcières*, commence à peine.

Sur l'écran, deux sorcières se disputent :

– Ah ! Ah ! Sacripante ! C'est moi la plus forte ! dit celle au tablier noir.

– C'est ce qu'on va voir, Poule-Pourrie ! réplique celle qui tient l'aspirateur.

La sorcière au tablier noir menace l'autre avec son balai-brosse et crie :

– Dis donc, Hugo, tu n'as pas de devoirs à faire ce soir ?

Zut ! Ce n'est pas la sorcière au tablier noir qui vient de parler. C'est maman à la jupe à fleurs.

Elsa Devernois, *Mon papa, c'est moi !* © Éditions Nathan, collection Demi-lune, 2000.

☆ **Lis *La vengeance des sorcières* puis entoure le dessin qui correspond à l'histoire.**

Entoure le nombre de bonnes réponses. 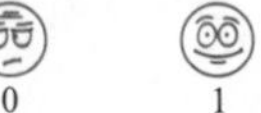 0 1

☆ **Relie chaque dessin de sorcière au nom qui convient.**
Aide-toi des lignes 6, 7 et 8 du texte.

Poule-Pourrie

Sacripante

Entoure le nombre de bonnes réponses.    0 1 2

☆☆ Entoure le groupe de mots en bleu qui convient.

◆ *– Ah ! Ah ! Sacripante ! C'est moi la plus forte !*
dit Poule-Pourrie / la mère d'Hugo.

◆ *– Dis donc, Hugo, tu n'as pas de devoirs à faire ce soir ?*
dit Poule-Pourrie / la mère d'Hugo.

◆ *Zut ! Ce n'est pas la sorcière au tablier noir qui vient de parler. C'est maman à la jupe à fleurs,* se dit Hugo / Poule-Pourrie / la mère d'Hugo.

Entoure le nombre de bonnes réponses.   
0 1 à 2 3

☆☆ Relis *La vengeance des sorcières* puis coche la fin du résumé qui convient.

Résumé : À peine de retour de l'école, Hugo s'installe devant la télévision pour suivre son dessin animé préféré…

☐ … mais sa mère la sorcière arrive ! Elle le menace avec son balai-brosse.

☐ … mais sa mère, vêtue d'une jupe à fleurs, change de chaine pour regarder un documentaire sur les sorcières. Alors, Hugo va faire ses devoirs.

☐ … mais soudain sa mère surgit pour lui demander s'il n'a pas de devoirs à faire.

Entoure le nombre de bonnes réponses.  
0 1

☆☆☆ Entoure le nom du personnage qui raconte l'histoire.

◆ « La télé était allumée et c'était l'heure de *La vengeance des sorcières*. Au moment où Poule-Pourrie menaçait Sacripante avec son balai-brosse, je me suis rendu compte que mon fils était installé devant la télévision. Je lui ai demandé s'il n'avait pas de devoirs à faire. »
C'est Hugo / le père d'Hugo / la mère d'Hugo qui raconte l'histoire.

◆ « *La vengeance des sorcières* venait à peine de commencer. Poule-Pourrie menaçait Sacripante avec son balai-brosse. Soudain, ma femme s'est aperçue que notre fils regardait la télé alors qu'il avait peut-être des devoirs à faire. »
C'est Hugo / le père d'Hugo / la mère d'Hugo qui raconte l'histoire.

◆ « C'était l'heure de *La vengeance des sorcières*. Sur l'écran, Poule-Pourrie menaçait Sacripante avec son balai-brosse quand maman s'est aperçue que je regardais la télévision. Elle m'a demandé si je n'avais pas de devoirs à faire ! »
C'est Hugo / le père d'Hugo / la mère d'Hugo qui raconte l'histoire.

Entoure le nombre de bonnes réponses.    
0 1 à 2 3

Reporte tes résultats dans la grille de suivi.

BIEN LIRE LES HISTOIRES

49 Le bon poisson

Un poisson rouge extraordinaire (1)

Les parents de Magali refusent de lui offrir un chien, un chat ou un canari. Mais ils acceptent de lui acheter un poisson rouge…

Devant l'immense aquarium du marchand, Magali hésite.
Maman lui conseille un poisson rose pâle avec d'immenses nageoires.
Papa préfère un poisson avec de curieuses taches noires.
Tiens, pour une fois, ils ne sont pas d'accord !

Soudain, il semble bien à Magali que le petit rouge, là, celui qui a une belle queue en éventail, lui fait un clin d'œil. Elle le désigne du doigt au marchand. Il plonge son épuisette dans le bocal, mais a beaucoup de mal à attraper le poisson.

– Tiens, en voilà un ! lance-t-il en montrant à Magali un poisson tacheté de noir.

– Ce n'est pas celui que j'ai choisi ! se plaint Magali.

– Cela n'a pas d'importance : un poisson, c'est un poisson.

– Pas du tout ! Le mien, c'est celui-là, rouspète Magali en pointant l'index sur son poisson.

Le marchand grogne mais finit par attraper le poisson. Il le dépose dans un petit sac en plastique et donne le tout à la fillette. *(à suivre…)*

★ **Lis *Un poisson rouge extraordinaire* (1) puis relie chaque phrase au bon dessin.**

Voici le poisson que Papa conseille à Magali.

Voici le poisson que Maman conseille à Magali.

Voici le poisson que Magali a choisi.

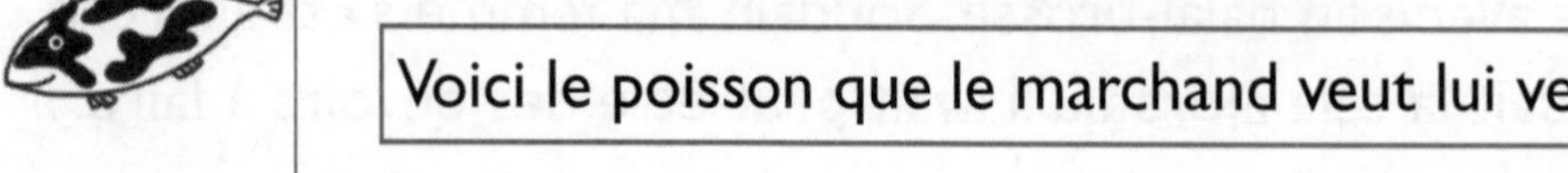

Voici le poisson que le marchand veut lui vendre.

Entoure le nombre de bonnes réponses. 

★ **Coche la bonne réponse.**

◆ L'histoire se passe ☐ dans une poissonnerie. ☐ dans une animalerie. ☐ au zoo.

Objectif 2 : Je comprends le sens d'une histoire.

- Magali veut ☐ le poisson que son papa préfère.
  ☐ le poisson que le marchand montre du doigt.
  ☐ le poisson qui lui a fait un clin d'œil.

- Magali repart du magasin ☐ avec le poisson qu'elle préfère.
☐ sans poisson. ☐ avec un poisson qui ne lui plait pas.

Entoure le nombre de bonnes réponses. 0 1 à 2 3

☆☆ Lis chaque phrase en bleu puis souligne la bonne explication.

- Ligne 4 : *Tiens, pour une fois, ils ne sont pas d'accord !*

Les parents de Magali ne sont jamais d'accord.
Les parents de Magali sont toujours d'accord, d'habitude.

- Lignes 6-7 : *Il plonge son épuisette dans le bocal, mais a beaucoup de mal à attraper le poisson.*

Le marchand n'arrive pas à attraper le poisson.
Le marchand se fait mal en attrapant le poisson.

- Ligne 10 : *Cela n'a pas d'importance : un poisson, c'est un poisson.*

Le marchand pense que le poisson que Magali a choisi n'est pas important.
Le marchand pense que tous les poissons sont pareils.

- Lignes 13-14 : *Il le dépose dans un petit sac en plastique et donne le tout à la fillette.*

Le marchand donne un sac et tous les poissons à Magali.
Le marchand donne le sac dans lequel il a mis le poisson.

Entoure le nombre de bonnes réponses.   
0 à 1 2 à 3 4

☆☆☆ Relis l'histoire puis coche la bonne réponse.

	Vrai	Faux	L'histoire ne le dit pas.
Magali ne veut pas prendre n'importe quel poisson.			
Elle choisit le poisson que ses parents lui conseillent.			
Magali pense que le poisson lui a fait un clin d'œil.			
Le poisson choisi par Magali est plus cher que les autres.			
Le marchand est énervé parce que d'autres clients attendent dans le magasin.			

Entoure le nombre de bonnes réponses.  
0 à 1 2 à 3 4 à 5

Reporte tes résultats dans la grille de suivi.

50 Il faut choisir !

Un poisson rouge extraordinaire (2)

Magali vient d'acheter un poisson rouge avec ses parents. Elle rentre aussitôt chez elle.

À la maison, Magali met le poisson dans un bocal orné d'une plante en plastique.
– Je t'appellerai Glouglou.
Magali explique à son nouvel ami qu'elle est fille unique et que c'est triste de se retrouver seule le soir dans sa chambre sans avoir quelqu'un pour échanger des secrets. Elle lui dit qu'elle voulait un chien, mais que ses parents n'ont pas voulu. Qu'elle voulait un chat, mais que ses parents ont refusé. Qu'elle voulait un oiseau, mais que sa mère a dit non. Maintenant elle est vraiment très heureuse d'avoir un poisson rouge. Tous les deux vont devenir les meilleurs amis du monde.
Glouglou l'écoute. Il la regarde de ses yeux ronds et il ouvre la bouche pour répondre.
– Toi au moins, tu me comprends, lui dit Magali avant de s'endormir.
Le dimanche matin, toute la maison est réveillée par un chant étrange :
– Qu'est-ce que c'est ? demande Maman en entrant dans la chambre de Magali en chemise de nuit.
C'est Glouglou qui chante en effectuant des plongeons acrobatiques.
– La moquette est trempée ! se lamente Maman en pataugeant pieds nus sur le sol.
– Et il chante plus fort qu'un canari ! ajoute Papa en se bouchant les oreilles.
Magali rit. Un poisson rouge qui chante, c'est extraordinaire ! *(à suivre…)*

☆ **Lis *Un poisson rouge extraordinaire* (2) puis entoure le mot ou le groupe de mots en bleu qui convient pour compléter la phrase.**

- Glouglou et < le poisson / Magali > vont devenir les meilleurs amis du monde.
- < Magali / La mère de Magali > est heureuse d'avoir un poisson rouge.
- Le dimanche, un chant étrange réveille < tous les voisins. / toute la famille.
- Magali voulait un animal parce qu'elle n'a pas < de frère ni de sœur. / d'amis.

Entoure le nombre de bonnes réponses.   
0 à 1 2 à 3 4

Objectif 2 : Je comprends le sens d'une histoire.

☆☆ Coche la suite qui convient pour chaque phrase.

◆ Magali donne un nom à son poisson…

☐ … le jour où elle l'achète.

☐ … un autre jour.

◆ Le poisson rouge se met à chanter…

☐ … dès son arrivée chez Magali.

☐ … un autre jour.

◆ La mère de Magali est en chemise de nuit…

☐ … car elle vient de se coucher.

☐ … car elle vient de se lever.

Entoure le nombre de bonnes réponses. 0 – 1 à 2 – 3

☆☆☆ Relis *Un poisson rouge extraordinaire* (2) puis coche la réponse à la question.

◆ Qui réveille la famille de Magali le dimanche matin ?

☐ C'est un canari. ☐ C'est le poisson rouge. ☐ L'histoire ne le dit pas.

◆ Pourquoi les parents de Magali refusent-ils de lui acheter un chien, un chat ou un canari ?

☐ Ils n'aiment pas ces animaux. ☐ Cela coute trop cher.

☐ L'histoire ne le dit pas.

◆ Pourquoi la moquette est-elle trempée ?

☐ Le poisson a envoyé de l'eau sur la moquette en plongeant.

☐ Le poisson a renversé son bocal sur la moquette.

☐ On ne le sait pas.

◆ Pourquoi le papa de Magali se bouche-t-il les oreilles ?

☐ La maman de Magali crie trop fort. ☐ Le canari chante trop fort.

☐ Le poisson chante trop fort.

◆ Qui est content de découvrir que le poisson chante comme un canari ?

☐ Le papa de Magali. ☐ Magali. ☐ Personne.

Entoure le nombre de bonnes réponses. 0 à 1 – 2 à 3 – 4 à 5

Reporte tes résultats dans la grille de suivi.

Objectif 2 : Je comprends le sens d'une histoire.

51 La bonne réponse

Un poisson rouge extraordinaire (3)

Le poisson rouge de Magali est extraordinaire : il chante comme un oiseau !

Quelques jours plus tard, Magali découvre Glouglou endormi sur le fauteuil du salon. Elle s'approche, le caresse. Le poisson rouge ronronne de bonheur, puis il s'élance, s'accroche aux rideaux, se balance, se roule sur le tapis. [...] Magali rit. Un poisson rouge qui chante comme un oiseau et qui joue comme un chat, c'est extraordinaire !

Le lundi matin, Glouglou refuse la pincée de daphnies qui tombe dans l'eau. Assis sur le rebord du bocal, on dirait qu'il boude.

– Tu n'as pas faim ? s'inquiète Magali.

À ce moment-là, Glouglou ouvre la bouche et... aboie trois fois.

– Qu'est-ce que c'est ? interroge Maman en entrant dans la chambre de sa fille. Je rêve ou j'ai entendu aboyer ?

– C'est Glouglou...

– Ah, non, ça suffit ! Il chante comme un canari, il fait autant de bêtises qu'un chat, si en plus il...

– Ouah ! ouah ! ouah ! fait Glouglou.

– Je crois qu'il voudrait manger une pâtée avec de la viande hachée et des vermicelles, traduit Magali.

– C'est pas vrai ! C'est un cauchemar ! s'exclame Maman.

Une fois rassasié, Glouglou saute de son bocal, et en trois bonds, se dirige vers la porte où il attend en gémissant.

– Ne me dites pas que maintenant, il faut le sortir comme un chien ! se lamente Maman.

Eh bien si, Glouglou voudrait prendre l'air, voir du paysage. Magali dénoue le ruban bleu qui retient ses cheveux et l'attache au cou du poisson.

– Alors là, c'est trop fort ! s'emporte la maman, moi qui ne voulais ni d'un chien, ni d'un chat, ni d'un oiseau, je me retrouve avec les trois animaux à la fois ! [...]

Magali rit. Elle ne s'ennuiera plus. Elle a un ami. Il s'appelle Glouglou.

Le soir, elle lui confiera tous ses secrets.

C'est un poisson rouge, mais c'est un poisson rouge extraordinaire.

Anne-Marie Desplat-Duc, *Le Zorro du bocal,* http://a.desplatduc.free.fr

Objectif 2 : Je comprends le sens d'une histoire.

★ Lis *Un poisson rouge extraordinaire* (3) puis entoure tout ce que Glouglou sait faire d'extraordinaire pour un poisson.

chanter – gémir – ouvrir la bouche – aboyer – ronronner – manger – se balancer – s'assoir

Entoure le nombre de bonnes réponses. 
0 à 2 3 à 4 5 à 6

★★ Relis la phrase en bleu puis coche la bonne explication.

◆ Ligne 11 : *Je rêve ou j'ai entendu aboyer ?*

☐ Maman a entendu des aboiements pendant qu'elle dormait.
☐ Maman n'est pas sure d'avoir vraiment entendu des aboiements.
☐ Maman a rêvé d'un chien.

◆ Ligne 18 : *C'est pas vrai ! C'est un cauchemar !*

☐ Maman pense que Magali dit des mensonges.
☐ Maman rassure Magali qui a fait un cauchemar.
☐ Maman vit un cauchemar à cause de Glouglou.

◆ Ligne 25 : *Alors là, c'est trop fort !*

☐ Maman ne supporte plus du tout le comportement de Glouglou.
☐ Maman trouve que Glouglou fait trop de bruit.
☐ Maman pense que Glouglou est vraiment très doué !

Entoure le nombre de bonnes réponses.   
0 1 à 2 3

 **Relie chaque début de phrase au mot en bleu qui convient.**
Attention, il peut y avoir plusieurs réponses !

Quand on le caresse, Glouglou réagit comme un •	• chien
On promène Glouglou dans la rue comme un •	• chat
Quand il veut sortir, Glouglou réagit comme un •	• être humain
Glouglou fait les mêmes bruits qu'un •	• oiseau
Quand il boude, Glouglou se comporte comme un •	

Entoure le nombre de bonnes réponses.   
0 à 2 3 à 4 5 à 6

Reporte tes résultats dans la grille de suivi.

52 Tout est compris ?

☆ **Relis *Un poisson rouge extraordinaire* en entier (1, 2 et 3) puis numérote les dessins de 1 à 6, dans l'ordre de l'histoire.**

n°… n°… n°…

n°… n°… n°…

Entoure le nombre de bonnes réponses.    0 à 2 3 à 4 5 à 6

☆☆ **Souligne toutes les explications qui sont justes par rapport à l'histoire.**

Magali est contente d'avoir un poisson rouge…

- parce qu'elle a maintenant un ami.
- parce qu'elle ne va plus s'ennuyer.
- parce que Glouglou sait parler.
- parce que ses parents adorent Glouglou.
- parce que c'est un poisson extraordinaire.
- parce qu'elle va lui confier ses secrets.

Entoure le nombre de bonnes réponses.    0 à 1 2 à 3 4

☆☆☆ **Coche les phrases qui pourraient faire partie de l'histoire.**

☐ Dans la rue, tout le monde regarde ce drôle de poisson tenu en laisse.
☐ « Ce poisson n'est pas intéressant, rapportons-le au magasin » dit Magali.
☐ « Ce poisson va me rendre folle ! » s'écrie Maman.
☐ « J'ai bien fait de choisir ce poisson-là » se dit Magali.
☐ « Achetons un autre poisson comme Glouglou, ce sera encore plus drôle ! » propose Papa.

Entoure le nombre de bonnes réponses.    0 1 à 2 3

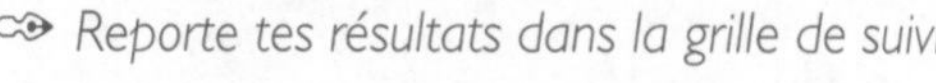
Reporte tes résultats dans la grille de suivi.

Bien lire les documents

Objectif 1 *Je repère des informations dans un document.*

Objectif 2 *Je comprends et j'utilise les informations d'un document.*

J'ai préparé le gâteau !

J'ai fait les courses !

J'ai écrit la liste des courses !

SUPER A
Œufs 1,90 €
Beurre 1,60 €
Farine 0,99 €
Chocolat 1,65 €
Total : 6,14 €

- œufs
- beurre
- farine
- chocolat

Le gâteau choco
① Faire fondre le beurre et le chocolat.
② Ajouter la farine et le sucre.
③ Ajouter les œufs.
Cuisson 20 mn.

Relie chaque enfant au bon document sur la table.

Objectif 1 : Je repère des informations dans un document.

53 Les informations alimentaires

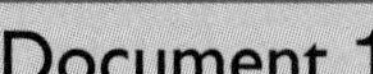

Document 1

Document 2

1 LE BANANIER

Le bananier n'est pas un arbre, mais une plante de la même famille que l'herbe. Son tronc n'est pas composé de bois mais de feuilles enroulées les unes sur les autres. Il peut atteindre 10 mètres de haut.

Quand le bananier a 7 mois, des fleurs apparaissent. Au bout de 4 mois, les fruits sont mûrs et le bananier meurt. Mais ses racines donnent naissance à une nouvelle plante.

Il existe de nombreuses espèces de bananiers.

2

*Bananier et son **régime** de bananes*

3

Document 3

★ **Observe les documents puis relie chaque mot en bleu au numéro du document qui convient.**
Attention, il y a un intrus !

une étiquette • une recette •

• Document 1 • • Document 2 • • Document 3 •

• une publicité • un documentaire

Entoure le nombre de bonnes réponses.   
0 1 à 2 3

☆☆ Cherche les numéros en bleu sur le document n° 3, puis coche la bonne réponse.

1 C'est ☐ un titre ☐ un paragraphe ☐ une phrase.
2 C'est ☐ une photo ☐ un dessin ☐ un schéma.
3 C'est ☐ une question ☐ un dialogue ☐ une légende.

Entoure le nombre de bonnes réponses. 0 1 à 2 3

☆☆ Coche le numéro du document dans lequel se trouve chaque information.

Document	1	2	3
Une « grappe » de bananes s'appelle un régime.			
Il y a du citron dans la compote pomme-banane.			
Il existe plusieurs sortes de bananiers.			
La compote pomme-banane est en promotion jusqu'au 22 juin.			

Entoure le nombre de bonnes réponses. 0 à 1 2 à 3 4

☆☆ Relie chaque information au nombre qui convient.

La hauteur maximale d'un bananier (en mètres). • • 0,75
Le poids d'une compote (en grammes). • • 10
Le prix d'une boite de compote (en euros). • • 100

Entoure le nombre de bonnes réponses. 0 1 à 2 3

☆☆☆ Entoure le mot en bleu qui convient pour compléter chaque phrase.

- Pour connaitre le prix d'un produit, je lis…
  une étiquette / un documentaire / une publicité.
- Pour apprendre de nouvelles connaissances, je lis…
  une étiquette / un documentaire / une publicité.
- Pour connaitre la composition d'un produit, je lis…
  une étiquette / un documentaire / une publicité.

Entoure le nombre de bonnes réponses. 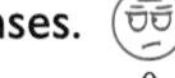    0 1 à 2 3

Reporte tes résultats dans la grille de suivi.

Objectif 1 : Je repère des informations dans un document.

54 Drôles d'informations !

DÉGUISEMENTS DE CLOWNS

LE CLOWN BLANC
Bonnet pointu, col bouffant, combinaison argentée, bas blancs, chaussures à pompons.

Réf. : 0158B — Prix 45 €

L'AUGUSTE
Chapeau mou, perruque, nez rouge, salopette multicolore, chaussures géantes.

Réf. : 0158A — Prix 54 €

Document 1

Document 2

LE CLOWN ARTICULÉ

1. Découper les différentes parties du pantin.
2. Percer les trous indiqués à l'endroit des croix en utilisant le côté pointu des ciseaux.
3. Attacher les bras au corps avec la première ficelle.
4. Attacher les jambes au corps avec la deuxième.
5. Relier les deux ficelles par la troisième.
6. Fixer une perle au bout de cette ficelle.

Tire sur la ficelle et le clown s'anime !

Document 3

★ **Lis les documents et coche la bonne réponse.**

- Le document 1 est ☐ un ticket de spectacle ☐ une page de catalogue.
- Le document 2 est ☐ une affiche ☐ la couverture d'un livre.
- Le document 3 est ☐ une règle du jeu ☐ une fiche de bricolage.

Entoure le nombre de bonnes réponses.   
0 — 1 à 2 — 3

☆☆ Coche la bonne réponse.

◆ Sur l'affiche qui annonce le spectacle, les clowns sont représentés par :

☐ un dessin ☐ une photo ☐ un schéma.

◆ Sur la fiche de bricolage, le clown est représenté par :

☐ un dessin ☐ une photo ☐ un schéma.

◆ Sur la page du catalogue, les clowns sont représentés par :

☐ des dessins ☐ des photos ☐ des schémas.

Entoure le nombre de bonnes réponses. 0 — 1 à 2 — 3

☆☆ Lis chaque information puis coche la case qui convient en t'aidant des documents.

	Le clown blanc	L'Auguste
Son costume coute 54 euros.		
Il est vêtu d'un costume de toutes les couleurs.		
Il ne porte ni perruque ni nez rouge.		
Il s'appelle Patajou.		
Il sert de modèle pour un clown articulé.		

Entoure le nombre de bonnes réponses. 0 à 1 — 2 à 3 — 4 à 5

☆☆ Relis le document 3 puis entoure le matériel dont on a besoin pour fabriquer le clown.

de la colle – des ciseaux – de la ficelle – une perle – des attaches parisiennes

Entoure le nombre de bonnes réponses. 0 — 1 à 2 — 3

☆☆☆ Relie chaque début de phrase à la fin qui convient.

Un catalogue… •	• explique comment fabriquer un objet.
Une affiche… •	• présente ce qu'on peut acheter.
Une fiche de bricolage… •	• informe sur un spectacle.

Entoure le nombre de bonnes réponses. 0 — 1 à 2 — 3

Reporte tes résultats dans la grille de suivi.

55 Dans le feu de l'information !

Document 1

Actu Junior

Pour les savants en herbe de 7 à 9 ans

n° 125

Spécial pompiers

AU SECOURS !
Incendies, inondations, accidents : un métier plein de dangers p. 3

AU SERVICE DES AUTRES
Une journée aux côtés de Maxime, pompier à Saint-Foy-sur-mer p. 5

UNE LONGUE HISTOIRE
Du seau au bombardier d'eau : mille ans de progrès pour lutter contre le feu p. 7

Décembre 2012 • 3,50 €

Document 2

RÉCRÉ INFO • DÉCEMBRE 2012

À L'ÉCOLE DES POMPIERS

Le 11 décembre, les CE1 de notre école ont visité la caserne des pompiers. Ils ont pu monter dans le camion d'incendie et dans une ambulance.
Le capitaine des pompiers viendra rendre visite à la classe de CM2 le vendredi 15 janvier 2013 pour apprendre aux élèves les gestes qui sauvent.
Nos journalistes en reparleront dans le prochain numéro de **RÉCRÉ INFO** qui paraitra au mois de février.

Document 3

Bombardier d'eau

Décembre 2012

Lundi	Mardi	Mercredi	Jeudi	Vendredi	Samedi	Dimanche
	1	2	3	4	5	6
7	8	9	10	11 Visite caserne des pompiers	12	13
14	15	16	17	18	19	20
21	22	23	24	25	26	27
28	29	30	31			

☆ **Lis les documents et complète avec le numéro qui convient.**

- Le document n°… est une page du calendrier des pompiers.
- Le document n°… est un article de journal à propos de la visite d'une caserne de pompiers.
- Le document n°… est la couverture d'un magazine consacré aux pompiers.

Entoure le nombre de bonnes réponses.   
0 | 1 à 2 | 3

Objectif 1 : Je repère des informations dans un document.

★★ **Relie chaque information au nombre qui convient.**

C'est un prix. •	• 18
C'est une date. •	• 3,50
C'est un numéro de téléphone. •	• 15 janvier 2013
C'est un numéro de magazine. •	• 125

Entoure le nombre de bonnes réponses. 0 à 1 2 à 3 4

★★ **Coche les bonnes réponses à l'aide des documents.**

- À quelle page du magazine apprend-on comment se passe la journée d'un pompier ? ☐ page 3 ☐ page 5 ☐ page 7
- Qu'ont vu les élèves de CE1 le 11 décembre 2012 ?

☐ un bombardier d'eau ☐ une maison en feu ☐ une caserne de pompiers

- À quel jour correspond le 11 décembre 2012 ?

☐ lundi ☐ mardi ☐ vendredi

- À quel numéro faut-il appeler les pompiers en cas d'incendie ?

☐ au 18 ☐ au 125 ☐ au 2012

Entoure le nombre de bonnes réponses. 0 à 1 2 à 3 4

★★★ **Relie chaque début de phrase en bleu à la fin qui convient.**

Hakim voudrait savoir ce que les CE1 ont fait à la caserne des pompiers. Pour cela, il doit lire… •	• le calendrier.
Zoé veut s'informer sur le métier de pompier. Il faut qu'elle lise… •	• le magazine *Actu Junior*.
Tom a oublié quel jour sa classe va visiter la caserne des pompiers. Pour le savoir, il doit consulter… •	• le journal *Récré Info*.

Entoure le nombre de bonnes réponses. 0 1 à 2 3

Reporte tes résultats dans la grille de suivi.

BIEN LIRE LES DOCUMENTS

56 Des informations à croquer !

LE PARC ANIMALIER
DE LA FONTAINE AUX LOUPS

Dans l'immense parc, vous pourrez admirer plus de 60 loups vivant en semi-liberté.

③

Tous les loups présents dans le parc de *La Fontaine aux Loups* sont nés en captivité. Aucun ne provient de milieux sauvages protégés.

Plusieurs espèces de loups sont présentées :

①
- loup d'Europe
- loup de l'Arctique
- loup de la toundra
- loup des plaines

Si vous voulez avoir la chance d'apercevoir des louveteaux, le printemps est la meilleure période.

Horaires des visites

②

Matin	Après-midi
9h00 à 12h00	14h00 à 17h00
Le repas des loups est distribué entre 9h00 et 10h00.	

Tarifs d'entrée :
- Adultes : 7 €
- Enfants de 5 à 18 ans : 4 €
- Enfants de moins de 5 ans : gratuit

Comment se rendre chez nous ?

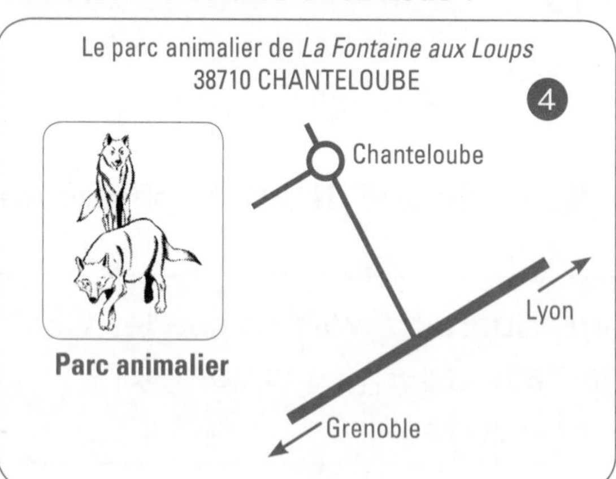

★ **Lis le document puis coche la réponse à la question en bleu.**

Quel est ce document ?

- ☐ une page d'album
- ☐ une carte routière
- ☐ une fiche documentaire
- ☐ un prospectus

Entoure le nombre de bonnes réponses.

0

1

Objectif 1 : Je repère des informations dans un document.

☆☆ Observe le document puis complète avec le numéro en bleu qui convient.

- Le numéro … correspond à une liste.
- Le numéro … correspond à un plan.
- Le numéro … correspond à un tableau.
- Le numéro … correspond à une illustration.

Entoure le nombre de bonnes réponses.   
0 à 1 2 à 3 4

☆☆ Entoure la réponse à la question en t'aidant du document.

- Combien paie un enfant de 7 ans pour voir les loups : 4 euros ou 7 euros ?
- Dans quelle ville est situé le parc : Lyon ou Chanteloube ?
- Où les loups du parc sont-ils nés : en liberté ou en captivité ?
- Quand peut-on voir des bébés loups : en hiver ou au printemps ?

Entoure le nombre de bonnes réponses.   
0 à 1 2 à 3 4

☆☆ Coche la réponse qui convient.

	Vrai	Faux	Le document ne le dit pas.
On peut voir plus de 60 loups dans la réserve.			
Les loups vivent entre 5 et 18 ans.			
On nourrit les loups du parc en fin de soirée.			
Le parc se visite le matin et l'après-midi.			
Les femelles donnent naissance à 4 ou 5 petits.			

Entoure le nombre de bonnes réponses.   
0 à 1 2 à 3 4 à 5

 Barre l'information qui est fausse.

Grâce à ce document, tu peux…

- savoir combien coute l'entrée du parc.
- savoir comment y aller en voiture.
- tout savoir sur la vie des loups.

Entoure le nombre de bonnes réponses.  
0 1

Reporte tes résultats dans la grille de suivi.

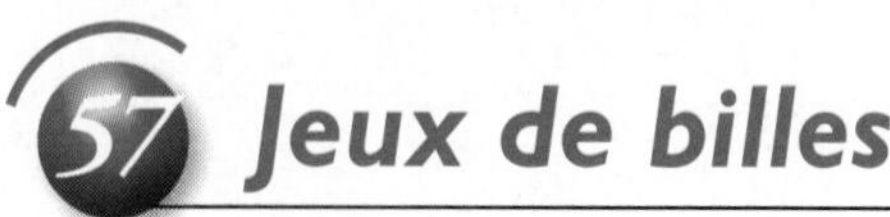

57 Jeux de billes

Jeu n°1 : LA COURSE
De 2 à 4 joueurs

- Dans le sable, tracer une piste avec des virages, une ligne de départ et une ligne d'arrivée.
- Chacun à leur tour, les joueurs lancent leur bille. Le gagnant est celui qui arrive le premier.
- Si le joueur fait sortir sa bille de la piste, il ne joue pas au tour suivant.

Jeu n°2 : LE TAC
Pour 2 joueurs

- Le premier joueur lance une bille.
- Le second joueur se place à un mètre de la bille de son adversaire et la vise.
- S'il la touche, il la gagne. Sinon, c'est à l'autre de jouer.

★ **Lis les deux textes puis relie le début de la phrase à la fin qui convient.**

On peut jouer aux billes grâce à •

- • ces deux affiches.
- • ces deux règles de jeux.
- • ces deux recettes.

Entoure le nombre de bonnes réponses.  0  1

★★ **Lis chaque information puis coche la case qui convient dans le tableau.** Attention, il peut y avoir plusieurs réponses !

	La course	Le tac
Les joueurs jouent chacun leur tour.		
Tous les joueurs lancent leur bille du même point de départ.		
Les joueurs ont intérêt à toucher la bille de leur adversaire.		
Un joueur peut passer son tour.		

Entoure le nombre de bonnes réponses.  0 à 1  2 à 3  4 à 5

★★★ **Complète chaque phrase avec le numéro du jeu correspondant.**

- Max a beaucoup de billes qu'il a gagnées au jeu n° …
- Paul, Nino et Leslie jouent ensemble au jeu n° …
- Si la cour de l'école est goudronnée, on ne peut jouer qu'au jeu n° …
- On peut doubler un autre joueur au jeu n° …

Entoure le nombre de bonnes réponses.  0 à 1  2 à 3  4

Reporte tes résultats dans la grille de suivi.

58 La comparaison

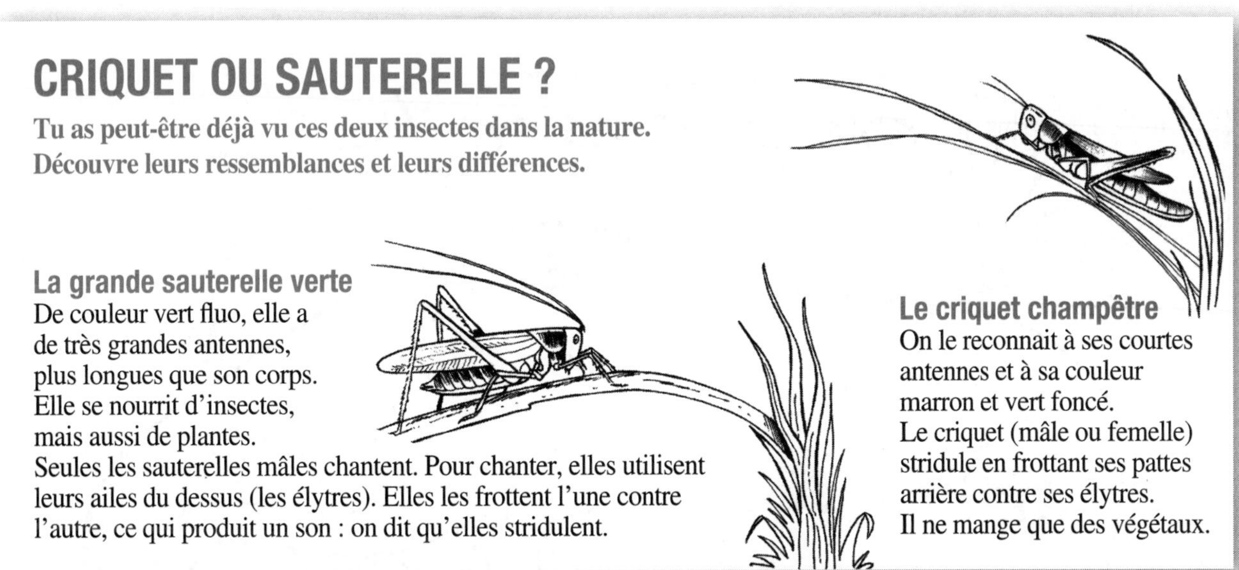

CRIQUET OU SAUTERELLE ?

Tu as peut-être déjà vu ces deux insectes dans la nature. Découvre leurs ressemblances et leurs différences.

La grande sauterelle verte
De couleur vert fluo, elle a de très grandes antennes, plus longues que son corps. Elle se nourrit d'insectes, mais aussi de plantes.
Seules les sauterelles mâles chantent. Pour chanter, elles utilisent leurs ailes du dessus (les élytres). Elles les frottent l'une contre l'autre, ce qui produit un son : on dit qu'elles stridulent.

Le criquet champêtre
On le reconnait à ses courtes antennes et à sa couleur marron et vert foncé.
Le criquet (mâle ou femelle) stridule en frottant ses pattes arrière contre ses élytres.
Il ne mange que des végétaux.

★ **Lis le document puis entoure la bonne réponse.**

- Ce document est une publicité / une fiche documentaire / un prospectus.
- Il permet de comparer / attraper / apprivoiser deux insectes qui se ressemblent.

Entoure le nombre de bonnes réponses.   
0 1 2

★★ **Entoure la bonne réponse en t'aidant du document.**

- Les sauterelles ont des antennes aussi longues que celles des criquets. Vrai / Faux
- Les criquets et les sauterelles sont exactement de la même couleur. Vrai / Faux
- Les sauterelles utilisent leur bouche pour chanter, comme les criquets. Vrai / Faux
- Pour striduler, les criquets utilisent leurs pattes, mais pas les sauterelles. Vrai / Faux

Entoure le nombre de bonnes réponses.  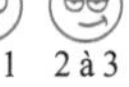 
0 à 1 2 à 3 4

 **Lis chaque information puis coche le paragraphe dans lequel on pourrait l'ajouter.**
Attention, il peut y avoir deux réponses !

	Le criquet	La sauterelle
Mâles et femelles chantent pour communiquer entre eux.	☐	☐
Ce carnivore mange des chenilles ou des larves.	☐	☐
Les élytres, plus épaisses, protègent les ailes du dessous.	☐	☐

Entoure le nombre de bonnes réponses.   
0 à 1 2 à 3 4

Reporte tes résultats dans la grille de suivi.

Objectif 2 : Je comprends et j'utilise les informations d'un document.

59 Le bon plan

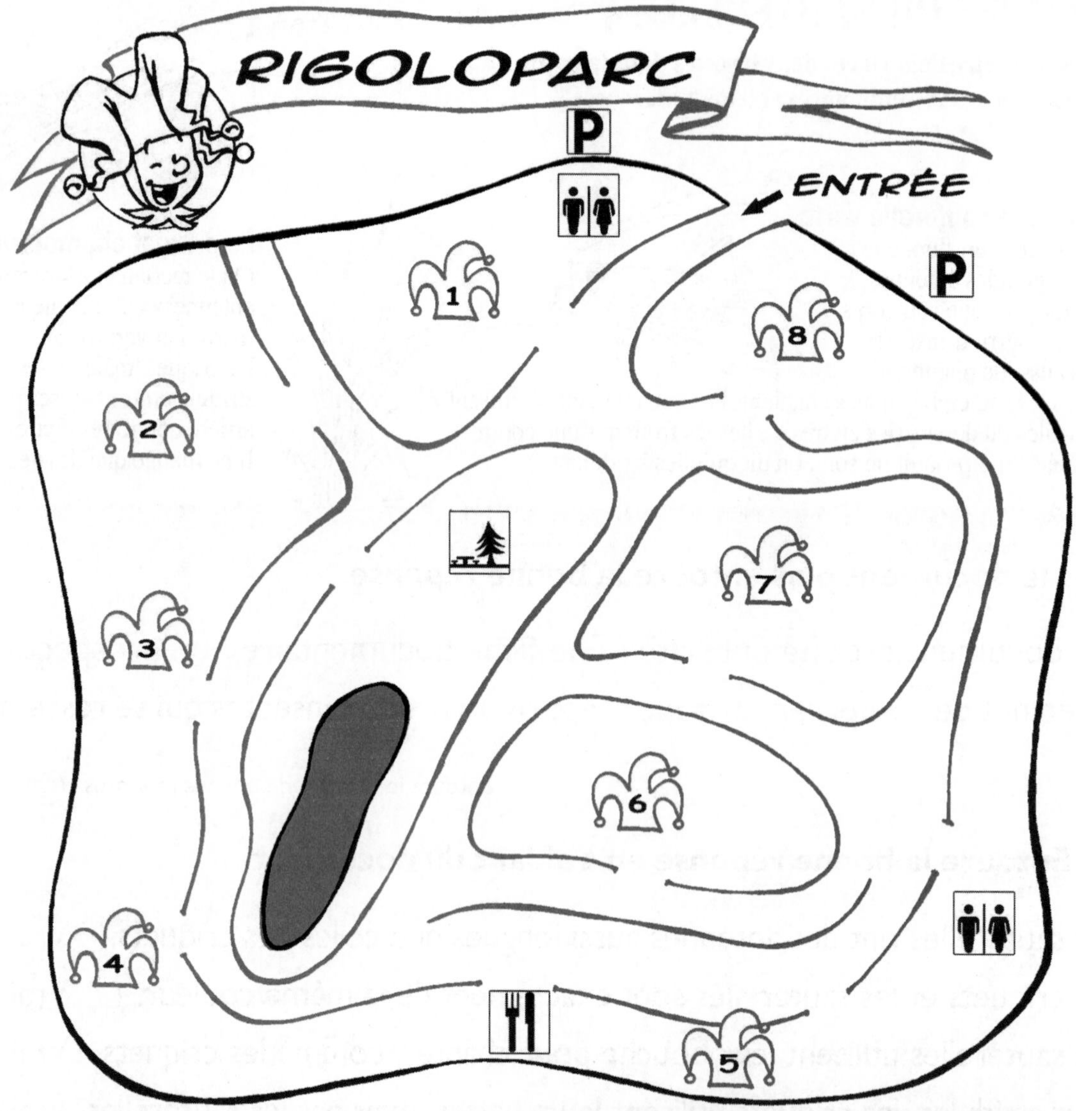

RIGOLOPARC

ENTRÉE

JEUX ET MANÈGES

Pour les enfants seulement	1 Champignons volants 4 Voitures électriques 6 Toboglisse
Pour toute la famille	2 Château fou 3 Bateau de pirates 5 Chenille 7 Cascade enchantée 8 Tobogéant

Objectif 2 : Je comprends et j'utilise les informations d'un document.

☆ **Observe le document puis coche la bonne réponse.**

- Ce document est ☐ le règlement d'un parc. ☐ le plan d'un parc.
☐ la photo d'un parc.
- Grâce à ce document, tu peux savoir ☐ comment aller au parc en voiture.
☐ quel temps il fait dans le parc. ☐ quelles activités on peut faire dans le parc.

Entoure le nombre de bonnes réponses. 0 1 2

☆ **Barre les informations fausses.** Aide-toi de la rubrique « Jeux et manèges » du document.

- Les adultes ne peuvent pas monter dans les *Voitures électriques*.
- La *Chenille* est réservée aux enfants.
- Un enfant peut aller dans le *Tobogéant* avec sa mère.
- Un enfant peut monter dans les *Champignons volants* avec ses parents.

Entoure le nombre de bonnes réponses. 0 1 2

☆☆ **Coche la bonne réponse.**

	Oui	Non
Le *Tobogéant* se trouve à côté de l'entrée du parc.	☐	☐
Le *Bateau de pirates* est entre le *Château fou* et les *Voitures électriques*.	☐	☐
La *Chenille* est plus près du *Tobogéant* que du *Toboglisse*.	☐	☐
L'aire de piquenique est plus éloignée du *Château fou* que de la *Chenille*.	☐	☐

Entoure le nombre de bonnes réponses. 0 à 1 2 à 3 4

☆☆☆ **Lis chaque phrase puis coche la bonne réponse.**
Aide-toi du plan.

- En sortant de la cafétéria, Maman a dit à Anthony : « Va aux toilettes puis reviens vers le manège devant lequel tu es passé. Je t'y attendrai. »

La maman d'Anthony va l'attendre devant ☐ les *Champignons volants*.
☐ les *Voitures électriques*. ☐ la *Chenille*.

- À Rigoloparc, Victor est allé dans un jeu avec son papa. D'en haut, il a aperçu leur voiture sur le parking qui se trouvait tout près.

Victor est allé dans ☐ les *Champignons volants*. ☐ le *Tobogéant*. ☐ le *Château fou*.

Entoure le nombre de bonnes réponses. 0 1 2

Reporte tes résultats dans la grille de suivi.

BIEN LIRE LES DOCUMENTS

Des informations du passé

Les métiers d'autrefois

Il y a cent ans, les gens ne vivaient pas comme aujourd'hui. Certains métiers de cette époque existent encore, d'autres ont disparu.

LE GARDE-CHAMPÊTRE

Autrefois, il n'y avait ni télévision ni radio. C'est le garde-champêtre, chargé de surveiller les campagnes, qui annonçait les nouvelles importantes dans les petites villes et les villages. Vêtu d'un képi et d'un uniforme, il jouait du tambour ou de la trompette pour appeler la population. Tout le monde accourait pour écouter ce qu'il avait à dire. Aujourd'hui, le garde-champêtre existe toujours mais il n'annonce plus les nouvelles.

LE COLPORTEUR

Dans les campagnes, en hiver, le colporteur allait à pied de ferme en ferme pour vendre des produits de la ville. Il portait sur le dos une sorte de hotte, qu'on appelait une marmotte, dans laquelle on trouvait de tout : des lunettes, des ciseaux, des crayons, des foulards, des rubans ou encore du fil et des aiguilles.

L'ALLUMEUR DE RÉVERBÈRES

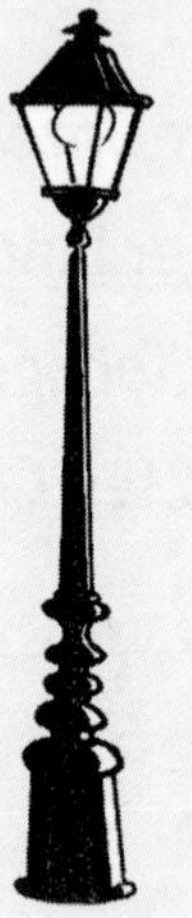

Avant l'électricité, les rues des grandes villes étaient éclairées par des lampes à gaz. Chaque soir, à la tombée de la nuit, un homme arrivait avec une longue perche. Il ouvrait une petite trappe située en haut du réverbère, tournait le bouton du gaz et faisait jaillir la lumière. Tôt le matin, il repassait pour éteindre le gaz.

LE LAITIER

Quand les supermarchés n'existaient pas, les habitants des villes faisaient leurs courses autrement : ils allaient au marché ou dans des boutiques. Pour avoir du lait, ils sortaient chaque soir, devant leur porte, une ou deux bouteilles vides. Au petit matin, le laitier passait avec une charrette chargée de bidons tirée par un cheval. Il remplissait les bouteilles avec du lait frais et prenait les pièces de monnaie qui étaient posées dessous.

★ **Lis le document puis entoure les mots qui conviennent.**

Ce document critique / présente / imagine **les métiers** du présent / du passé / du futur.

Entoure le nombre de bonnes réponses. 0 1 2

BIEN LIRE LES DOCUMENTS

★★ Relie chaque information au métier qui convient.

Il vend ses produits dans les fermes. •	• le garde-champêtre
Il passe dans la rue deux fois pas jour. •	• le colporteur
Il utilise un instrument de musique. •	• le laitier
Il a besoin d'un véhicule. •	• l'allumeur de réverbères

Entoure le nombre de bonnes réponses.   
0 à 1 2 à 3 4

★★ Coche la bonne réponse.

- Pourquoi les gardes-champêtres ne font-ils plus le même travail aujourd'hui ?

☐ Parce que les gens s'informent autrement.
☐ Parce que les gens ne savent plus jouer du tambour ou de la trompette.

- Pourquoi les laitiers ont-ils disparu à notre époque ?

☐ Parce qu'il n'y a plus de chevaux pour tirer des charrettes.
☐ Parce que les gens préfèrent acheter leur lait dans les supermarchés.

- Pourquoi ne voit-on plus, de nos jours, de colporteurs dans les campagnes ?

☐ Parce que les gens ont des voitures pour aller faire leurs achats en ville.
☐ Parce que les gens n'ont plus besoin de lunettes, de ciseaux, de foulards…

Entoure le nombre de bonnes réponses.   
0 1 à 2 3

 Complète les phrases avec les bons numéros.

Objet n° 1

Objet n° 2

Objet n° 3

Objet n° 4

- L'objet n°… appartient au seul personnage qui ne travaille pas toute l'année.
- L'objet n°… appartient au seul personnage qui doit savoir lire pour faire son métier.
- L'objet n°… appartient au seul personnage qui travaille obligatoirement le soir.
- L'objet n°… appartient au seul personnage qui ne vend qu'un seul produit.

Entoure le nombre de bonnes réponses.   
0 à 1 2 à 3 4

Reporte tes résultats dans la grille de suivi.

BIEN LIRE LES DOCUMENTS

Un document léger comme l'air !

COMPRENDRE EN S'AMUSANT

DU COTON DANS LA BOUTEILLE

- une petite bouteille d'eau vide
- une boule de coton
- un fil mince d'une dizaine de cm
- un saladier rempli d'eau

1- Coupe le fond de la bouteille.
2- Attache le coton au fil.
3- Place le coton dans la bouteille.
4- Attache le fil au goulot.
5- Ferme le bouchon en coinçant le fil.

EXPÉRIENCE N° 1

Si on enfonce la bouteille bien droite dans l'eau, le coton sera-t-il mouillé ?

Non. Le coton reste sec car l'eau ne monte pas dans la bouteille.
Sais-tu pourquoi ?

Explication : Il y a de l'air dans la bouteille. Cet air ne peut pas s'échapper. Il empêche donc l'eau de monter jusqu'au coton.

EXPÉRIENCE N° 2

Garde la même bouteille enfoncée bien droite dans l'eau. Si tu dévisses le bouchon, le coton sera-t-il mouillé ?

Oui. Le coton est mouillé car l'eau monte dans la bouteille. Sais-tu pourquoi ?

Explication : L'air de la bouteille s'échappe par le goulot. L'eau peut donc monter jusqu'au coton.

Une bouteille n'est jamais vide. En fait, il y a toujours de l'air dedans.

Objectif 2 : Je comprends et j'utilise les informations d'un document.

☆ Lis le document puis coche la bonne réponse.

- ☐ Ce document propose une méthode pour économiser l'eau.
- ☐ Ce document présente des activités pour jouer dans l'eau.
- ☐ Ce document présente deux expériences pour montrer la présence de l'air.

Entoure le nombre de bonnes réponses.  0  1

☆☆ Coche la case qui convient.
Attention, plusieurs réponses sont possibles !

	Expérience	
	1	2
Pendant l'expérience, le bouchon de la bouteille est enlevé.		
Le bas de la bouteille a été découpé.		
La bouteille est complètement remplie d'air.		
L'eau du saladier est entrée dans la bouteille.		

Entoure le nombre de bonnes réponses.  0 à 1  2 à 3  4 à 5

☆☆ Coche le schéma qui correspond à l'expérience n° 2.

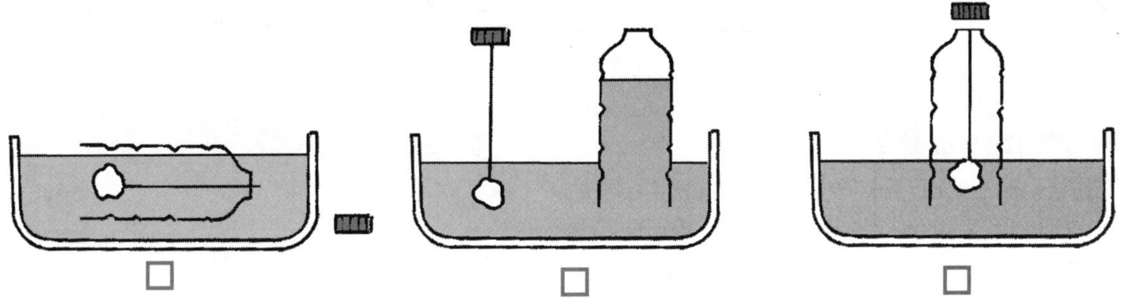

Entoure le nombre de bonnes réponses.  0  1

 **Barre les affirmations fausses.**

- L'expérience n° 1 montre que le coton sec empêche l'air de sortir de la bouteille.
- L'expérience n° 2 montre que l'eau chasse l'air de la bouteille.
- Ces expériences montrent que le coton attire l'eau vers lui.
- Ces expériences montrent qu'il y a de l'air partout, même dans les choses qui semblent vides.

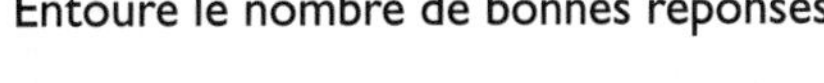
Entoure le nombre de bonnes réponses.  0  1  2

Reporte tes résultats dans la grille de suivi.

Un document piquant !

LE HÉRISSON

Le hérisson est un mammifère* nocturne : cela signifie qu'il attend la nuit pour sortir. Le reste du temps, il dort sous un buisson ou dans un trou, caché sous un tas de feuilles.

À quoi ressemble-t-il ?

Que mange-t-il ?

Le hérisson est un insectivore* mais il mange beaucoup d'autres choses : des fruits, des serpents et même les croquettes du chat !
Dans les jardins, il rend service au jardinier en le débarrassant des chenilles, des limaces ou des escargots qui détruisent ses cultures.

Comment se déplace-t-il ?

En général, le hérisson se déplace lentement au ras du sol. Il peut aussi se dresser sur ses quatre pattes et filer à toute allure.
Il est capable d'escalader des petits murs, de creuser la terre et même de nager.

LEXIQUE

Mammifère : animal dont la femelle allaite ses petits.
Insectivore : animal qui se nourrit d'insectes.

Une vie pleine de dangers

Le hérisson ne craint pas grand-chose de ses ennemis. Seul le blaireau parvient à l'attaquer, malgré ses piquants.
Mais d'autres dangers le guettent.
Quand il entend une voiture approcher sur la route, le hérisson se met en boule, au lieu de se sauver. Parfois, il se fait écraser.
Le hérisson peut aussi se noyer en tombant dans une piscine : s'il n'arrive pas à remonter sur le bord, il s'épuise et finit par couler.
Certains jardiniers utilisent des insecticides, ainsi que du poison pour tuer les limaces. Si le hérisson avale ces animaux empoisonnés, il meurt à son tour.

Objectif 2 : Je comprends et j'utilise les informations d'un document.

☆ **Lis le document *Le hérisson* puis souligne ce qui est vrai.**

Grâce à ce document…
on apprend à soigner un animal.
on s'informe à propos d'un animal.
on découvre comment apprivoiser un hérisson.

Entoure le nombre de bonnes réponses. 0 1

☆ **Coche la bonne réponse.**

	Vrai	Faux
◆ Le document donne des informations sur l'alimentation du hérisson.	☐	☐
◆ Le document explique comment se passe la naissance des petits hérissons.	☐	☐
◆ Le document décrit les différentes façons de nager du hérisson.	☐	☐
◆ Le document donne des informations sur certaines parties du corps du hérisson.	☐	☐
◆ Le document fait la liste de tous les animaux en danger.	☐	☐

Entoure le nombre de bonnes réponses. 0 à 1 2 à 3 4 à 5

☆☆ **Observe le dessin du hérisson sur le document puis entoure la bonne réponse.** Aide-toi du texte.

◆ Sur le dessin, on voit un hérisson en danger. Oui / Non
◆ Sur le dessin, on voit un hérisson en train de marcher vite. Oui / Non

Entoure le nombre de bonnes réponses.

0 1 2

☆☆ **Barre les explications fausses.**

◆ Le hérisson ne sort que la nuit, comme tous les mammifères.
◆ Les hérissons peuvent se noyer dans une piscine car ils ne savent pas nager.
◆ La maman hérisson allaite ses petits car c'est un mammifère.
◆ Le hérisson sort la nuit car il voit dans le noir, grâce à son excellente vue.
◆ Le jour, le hérisson se cache pour dormir car c'est un animal nocturne.

Entoure le nombre de bonnes réponses.

0 1 à 2 3

Objectif 2 : Je comprends et j'utilise les informations d'un document.

☆☆ **Relis le document *Le hérisson* (p. 90). Puis relie ce qui va ensemble.** Attention, il peut y avoir plusieurs réponses !

		C'est …
Il s'y cache le jour.	•	• une piscine
Il peut y croiser un danger mortel.	•	• une route
Il peut tomber dedans.	•	• un jardin
Il y trouve sa nourriture.	•	• un tas de feuilles

Entoure le nombre de bonnes réponses.   
0 à 2 3 à 4 5 à 6

 **Coche les questions auxquelles le document permet de répondre.**

☐ À quoi servent les piquants du hérisson ?
☐ Quelle est la longueur des piquants du hérisson ?
☐ Que fait le hérisson quand vient l'hiver ?
☐ Combien de petits ce mammifère peut-il avoir ?
☐ L'alimentation du hérisson n'est-elle composée que d'insectes ?
☐ Existe-t-il un animal capable d'attraper un hérisson roulé en boule ?

Entoure le nombre de bonnes réponses.   
0 1 à 2 3

 **Lis ces nouvelles informations sur le hérisson. Puis relie-les à la partie du document où l'on pourrait les ajouter.**
Attention, il y a un titre de trop !

Lors de ses promenades nocturnes, il est capable d'avaler une centaine de vers de terre en une seule nuit !	•	• À quoi ressemble-t-il ?
Un hérisson adulte possède 36 dents.	•	• Que mange-t-il ?
Insecticide : *produit chimique qui détruit les insectes.*	•	• Comment se déplace-t-il ?
Si on trouve un hérisson, il ne faut pas lui donner de lait de vache car cela provoque chez lui des diarrhées mortelles.	•	• Une vie pleine de dangers
		• Lexique

Entoure le nombre de bonnes réponses.   
0 à 1 2 à 3 4

Reporte tes résultats dans la grille de suivi.

GRILLES DE SUIVI

Colorie le visage correspondant au résultat que tu as obtenu.

Bien lire les mots

	★	★★	★★★
Objectif 1			
1 Mot à mot			
2 Des lettres dans tous les sens !			
3 Ou, o, oi…			
4 M ou n ?			
5 La lettre « e » dans tous ses états !			
6 Aïe, ail, ay !			
7 Frais ou vrai ? Mou ou nous ?			
8 Chou ou joue ? Cru ou grue ?			
9 Passe ou basse ? Tout ou doux ?			
10 Grrrrrrrrrrrrrr !			
11 Bla bla bla !			
12 La lettre « s » dans tous ses états !			
13 La lettre « c » dans tous ses états !			
14 La lettre « g » dans tous ses états !			
Objectif 2			
15 Les jumeaux de l'école			
16 Minuscules et majuscules			
17 Les mots attachés			
18 Les mots cachés			
19 Bien recopié !			

GRILLES DE SUIVI

	☆	☆☆	☆☆☆
Objectif 3			
20 À chacun son étiquette			
21 Dis-moi la même chose !			
22 Dis-moi le contraire !			
23 La même famille			
24 La famille s'agrandit !			

Bien lire les phrases

	☆	☆☆	☆☆☆
Objectif 1			
25 Est-ce une phrase ?			
26 La phrase et le dessin (1)			
27 Le labyrinthe des phrases			
28 Tout commence et finit bien !			
29 Les remplaçants			
30 Le même sens			
31 Suis la consigne !			
Objectif 2			
32 La phrase et le dessin (2)			
33 L'ordre des étiquettes			
34 Où es-tu ? Que fais-tu ?			
35 Qui parle ?			
36 Question et réponse			
37 Les devinettes			
38 La description			
39 La phrase impossible			

GRILLES DE SUIVI

Bien lire les histoires

	★	★★	★★★
Objectif 1			
40 Une histoire, des images			
41 Qui est là ?			
42 Qui et quoi ?			
43 Des détails importants !			
44 Au bon endroit			
45 Dans quel ordre ?			
Objectif 2			
46 En bref			
47 Tout s'explique !			
48 C'est clair ?			
49 Le bon poisson			
50 Il faut choisir !			
51 La bonne réponse			
52 Tout est compris ?			

GRILLES DE SUIVI

Bien lire les documents

	★	★★	★★★
Objectif 1			
53 Les informations alimentaires			
54 Drôles d'informations !			
55 Dans le feu de l'information !			
56 Des informations à croquer			
Objectif 2			
57 Jeux de billes			
58 La comparaison			
59 Le bon plan			
60 Des informations du passé			
61 Un document léger comme l'air !			
62 Un document piquant !			

Crédits photographiques : 76 H CORBIS / Image Source ; 76 B Fotolia / Route66Photography ; 78 Shutterstock / W. A. McCarthy
Couverture : Arnaud Lhermitte
Conception graphique : Arnaud Lhermitte, Langage Graphique
Coordination artistique : Domitille Pasquesoone
Mise en page : Langage Graphique
Illustrations : Samuel Buquet (pp. 74 à 92), Vanessa Gautier (pp. 8 à 32 et pp. 34 à 50), Marie-Hélène Tran-Duc (pp. 7, 33 et 51 à 73)
Édition : Fanny Mezzarobba

N° d'éditeur : 10271289 - février 2021
Imprimé en France par Jouve-Print N° 2960484W